U0149372

跨界意象

——關於生活的多面向思考

呂詠彥著

文學叢刊

文史哲出版社印行

國家圖書館出版品預行編目資料

跨界意象：關於生活的多面向思考 /
呂詠彥著. -- 初版 -- 臺北市：文史哲,
民 108.10
頁； 公分.（文學叢刊；411）
ISBN 978-986-314-490-9（平裝）

1.言論集

078 108016874

文學叢刊 411

跨界意象

關於生活的多面向思考

著 者：呂 詠 彥
出 版 者：文 史 哲 出 版 社
http:// www.lapen.com.tw
e-mail：lapen@ms74.hinet.net
登記證字號：行政院新聞局版臺業字五三三七號
發 行 人：彭 正 雄
發 行 所：文 史 哲 出 版 社
印 刷 者：文 史 哲 出 版 社
臺北市羅斯福路一段七十二巷四號
郵政劃撥帳號：一六一八〇一七五
電話886-2-23511028 · 傳真886-2-23965656

定價新臺幣三二〇元

二〇一九年（民一〇八）十月初版

ISBN 978-986-314-490-9 10411

序　言

原想以六十餘篇就此打住，無奈乎時來靈感，遂兀自再行湊寫數篇，不意卻一路奔行，走向了九十之數。篇篇盡可能以四字為題，別無他意，只是望之整齊而已；有感於坊間庸俗之品過多，本書內容分別由軍事、文學、文化、政治、科學、宗教、體育、教育和居住正義等等題材出發，藉由時事的分析，思考人性和人生層面的碰觸，雖不是以純學術論調進行，還是嗅得出幾絲學術味道，附以臧否各類人物的言行。若論斷世上發生的各類五花八門的事件，亦無分時間前後的順序，隨意而寫，抒發不平。是以突破傳統思考藩籬，除卻舊有模式，試圖進入跨界評論。其中，大多都是讀者平常遇到或是新聞媒體上碰觸的話題，也許匆匆瞥過，或是不經意地忽略、忘卻的小事。寫出這樣並不期望解決什麼難題，僅在此拋出一串串的引線，期待閱後創出更多樣智慧的火花。

呂詠彥 2019.

跨界意象

——關於生活的多面向思考

目 次

卷　一

夾娃怪談

農業用的「秧苗機械手臂取卸系統」，被稱為農用夾娃娃機，是耕作時的好幫手，跟我們所看到市面上夾娃娃機相似之處，在於具有抓物的手臂，就像人的五指張開再行合攏，很快掌握所需之物，再行向上提升若干高度便可獲取；只是店鋪內的裝備與農耕毫無關係。坊間這樣一類投錢夾物的店家近年來如雨後春筍般的在臺灣大街小巷萌芽成長。原先設立的商店遭到了強力取代，也象徵社會經濟狀況的不穩定，許多人不願也無力繼續承租，於是搬遷或退出原來的事業，夾娃娃機的事業如風鼓浪般順勢而起。

夾娃娃機風靡於一時，依照家扶基金會的調查，超過百分之四十三的學童每週都會光顧夾娃娃機店，有的縣市政府鑒於如此影響學童身心，將提案不准設立於學校一百公尺之內；意即做法上，跟以前的電動玩具店在鼎盛時期的景況相當類似，採取因應的措施。

娃娃機的店名亦五花八門，從「掏掏樂」到「尋寶店」、「夾寶趣」、「瘋夾客」、「選夯夾物」、「亂夾達人」等等，有的根本毫無店名，因為這並非必要，路過一瞥便知。店內的機檯採取分租狀態，視規模大小、位置顯要與否，從而繳交每月租金給予店長。置放機檯的人無不思索著如何讓來店者掏盡口袋裏的錢，卻不要攜走一絲一毫透明窗內的寶貝；十元硬幣或代幣一旦投入，任君自由攫取櫥窗內琳瑯滿目的物件，從各式各樣的動物玩偶到電子零件，都是日常可見而不是極為珍貴的物品，有的令人垂涎，有的則不屑一顧。臺中市一名越南籍的新移民媽媽帶著三歲兒子逛街，就在講完手機沒幾分鐘之時，卻找不著他的小孩，不料卻發覺他已成為一台夾娃娃機內的展示物，還啜泣著尋找媽媽；警方花費一番功夫才把這名頑皮小孩從櫥窗內移出。

小朋友何以能跑進夾娃娃機之內，絕不是靠著魔術師的技法。一來，他對於機器內的玩具感到好奇或喜愛，再則正巧被他遇上出貨洞口較大的機檯，幼小的身軀正足以通過狹窄的路徑而攀入櫥窗之內，活生生的人當然不會成為被吊取的物體，一般而言，櫥窗內的東西也不是輕易地就會成為投幣者的囊中物。業者通常把吊物的掛勾的螺絲加以放鬆，東西被抓取的瞬間很快就墜落了，如果玩家還意猶未盡，只能再一次的投錢期盼幸運之神的降臨，讓心中所願之物順利掉入取物之處。

並非每個人都能得到幸運之神的眷顧，不畏失敗且口袋挺深的人於是鼓起勇氣一再嘗試，表現出不拿到手目光決不離開目標物的精神。有的人在接二連三的挫敗之餘想到利用搖晃機檯的原理，看看能否將東西搖入洞口，這種投機取巧的老方法早已被機檯業者識破，除在店內廣佈遠端監視鏡頭，還在每部機檯的牆面張貼警示標語，告訴參與遊戲者這樣的做法已經破壞互信規則，如果不稍收斂就會觸法。

比起搖動娃娃機拿到想要的東西，尚有更加「精進」的作為，除了利用伸縮吊桿從洞口以探囊取物的方式伸入，再行夾出；最新的方法就是看準許多的寶物都以鐵盒盛裝，櫥窗內很多如鑰匙圈、小型耳機、充電線、玩具式喇叭、玩具手錶、小皮包等禮品，諸類外殼的表面或多或少具備金屬性質，腦筋動得快的玩家便想到如果使用大型的磁鐵，利用磁性吸附的技巧將櫥窗內鄰近的物體慢慢移動後掉入洞口，東西便是我的。此法甚為奧妙，不僅節省操作時間也省去大把錢幣的耗費，卻也使得業者大傷腦筋，於是逐一過濾影像中的來客，在機檯內外張貼嫌疑犯的照片，也貼上數條遊戲取物的規定。

夾娃娃機內不僅擺設商品供人夾取，名為「Super KTV」的機種，更能讓喜歡哼上幾曲兒的選歌來唱，只不過附上但書：深夜時分，切勿過度引吭高歌，以維鄰近的安寧。機種的花樣，將來還會逐漸翻新，貼近自娛娛人的層次。在日本，經由大眾媒體的宣傳，有些東西確實陳列於夾娃娃機內，不但花樣繁多而且市面上根本買不到，想要獲取就要走進夾娃娃機店內操作。中央銀行總裁答覆立法委員的質詢時表示，日後將發行更多的十元硬幣，以因應日益蓬勃的夾娃娃機使用者的需求。無論如何，站在機檯選好目標時，投入硬幣前再三的想想，想要的是否真有所值。

神的裁審

人在死後四十九天之內分別接受七位地獄大王的問話，看看生前是否有說謊、不義、殺人或傷害他人的行徑，視程度大小予以懲罰，身故之後還有可能再被賜死一遍。專審他人的地獄大王們，可能自身也會犯罪，一旦有了罪行，不知誰又有資格加以提審和訊問。如此的一部影片，片中，南韓導演金容華把一位因公殉職的消防員身故之後，被幾位地獄使者帶往審判並加以挽救拍成了電影，並不複雜的情節在強大的電腦特效加持下，成為相當吸睛和轟動的電影，創造出歷年來最賣座的韓語影片。

一連串的的審訊歷程充滿驚險，到最後終於化險為夷投胎轉世。值得注意的是，被審問者的弟弟於服役期間遭到玩弄槍枝的天兵不慎走火，槍擊身亡；即將升官的中尉見事發怕被牽連，竟將他拖去暗自掩埋，但他們不知死者其實尚且存留一息，如此形同畏罪式的活埋，被掩埋者成了道地的冤死鬼，既為冤死，不由分說尋求平反冤屈和復仇的時機。

軍中的冤死案件在每個國家都有出現的可能，老兵欺凌菜鳥更不是只有台灣有。有些看似對於新兵的磨練，過了頭往往釀成命案，成為無法彌補的遺憾。民國八十四年一位黃姓新兵在他母親的滿心祝福下登上陽字號軍艦，成為新一代的革命水兵，正是國軍海上禦敵主力的一員，對國對家都是榮光一件。怎奈造化弄人，入伍五十幾天之後，黃員的母親突然接獲通知，說兒子穿著便裝逃逸無蹤，但是已經登艦出港的黃員又能跑往何處？不久之後，黃員的屍體被福建石獅市的漁民打撈而起，身著軍服的他生前遭受體罰凌虐，腳部被滾燙的熱湯嚴重燙傷，致命的傷害點還在頭顱，法醫發現他的頭部被插入一支鋼釘。

黃姓水兵的母親一番等待，等到的卻是一具她難以想像的冰冷遺體，跟所有軍中冤案的家屬一樣，任誰也無法接受這樣的事實，她大力奔走去追尋害死她兒子的真相。二十年過去了，事情總算露出幾許眉目，雖然海軍高級將領向她致歉，但也無法重新喚醒她兒子的寶貴性命，這位失去兒子的老婦看到的是一串官僚式的回應。

還有更加離奇的事件也發生了，只是情況的發生換成外島。在馬祖東莒服役的李姓預備軍官，忽然之間該集合的時候未到，並且莫名地從此消失在這島上，不見任何蹤影。一個人怎會憑空在一個小小的島上好像被施展了咒語，繼而從人間蒸發，連屍首都不知於何處。隨著時間流逝，李少尉的家人想得知他究竟如何的下落，就更加渺茫了。利用游泳的方式離開原先的駐地，前往別人找不到的地方，可能性也極微小。猜想著他自行綁縛重物，沉入幽暗海中，杜絕與親友的見面，了結終生。當然只是一種殘忍的想像而已。若為他人所害，加害者身後是否有日也會面對各樣的審訊？

人獸戀曲

飼養寵物的原因，很多飼主恐怕也說不出為何，大概都是基於某種感覺的喜愛。既然決定餵養了，與寵物相處日久情感會愈深，畢竟交流模式不同於人際之間，與異性朋友的交往互動方式更是有別。就如美人魚的傳說如果不是出現在童話故事裏，消息傳出大家一定很想去探尋她的芳蹤和居住場所。找到她之後雙方握手寒暄、順便自拍一下，問她想不想過一個「正常人」的生活，終日泡在水中感覺是不是怪怪的。

美人魚在水裏和水上均能活得自在，所以她可能不是一個純粹實正的人類，換言之她不能符合成為一個人的基本條件，而在某些方面卻已然具備超乎一般人的能力。這樣的人魚照理說應有陸上和水下生物兩套呼吸裝置得以維繫，只是難有政治上的權利像是選舉和被選舉權；美人魚能否與人類直接溝通不得而知，獲得 2018 年美國奧斯卡電影大獎的最佳影片，講的是女清潔工被外物所迷誘的人獸戀情，這隻水底之獸就被塑造可聽懂人語的稀世珍物。

美俄太空爭奪領域之戰的年代，人類登上太空首先必須克服氧氣與重力的問題，可行切換兩套呼吸系統的人魚，不正是可以好好利用的工具，嘗試於不需氧氣供應的太空環境。不過人類畢竟還是難以駕馭這個從南美洲叢林捕獲的似人之物，利用牠先天的條件，制敵機先掌控戰局最後淪於空想。美國軍方除了想對牠活體解剖瞭解其生理構造，也嚴加防備蘇聯方面的滲透和竊取機密。諷刺的是，這兩點美軍最終都無法達到，反倒凸顯其內部管理上嚴重的無能，間接批判了曩昔兩大超強共有的人性殘酷與暴戾無情的一面。

人類與他種動物就算產生婚姻關係，也不會有下一代，A片中各式族群的狂熱性愛，僅是滿足想像的感官刺激。人魚非人，只是外型既如魚又似人，較像是一種禽獸，看起來又像脫胎於阿凡達世界的創作概念，還被輿論批評跟五十年前一部影片的構思極為雷同，不過製作單位出面極力否認。

美人魚終究帶給大家一種美的想像，讓人試圖去親近，看看能否與之攀談。不過人為何會愛上非人類的動物，恐怕難以解釋，就像感情的事很難去作出一種判斷或合理的說明，也像跟愛狗愛貓的嗜好一樣，當然也能去愛穿山甲千年巨蟒或其他珍禽異獸。只是事態詭異，導演還讓這個出身自深山叢林的獸人演出生吃活貓的場面，雖然只為戲劇效果，也夠成為全片最為驚悚之處；然而清潔女工不畏此獸，雖見牠滿口腥羶，不可思議地依然和牠在水中激情擁吻。如果可以的話，也許能把個情節設計的不要那麼惹人驚恐，就好比在女佣家裏擺上一個大型魚缸，讓這個外型像魚的怪物正用手撈出魚兒來食用，如此一來正好符合「人魚食魚」的基本邏輯，水裏的生物本來就應以水中物質維生，食物鏈的法則不至於讓觀者的感受極為顫慄不安；這位墨西哥籍的導演自稱專擅童話故事與怪物的結合，較為溫馨的安排應該不會妨礙到對於這個非人類特性的認知，反而更能為大眾接受。

也許還可編排這隻怪物被返家的主人發現時，一面翻找冰箱中的食物，一面爭著品嘗生冷的食物，同樣不會帶給大家太過強烈的震撼，或許是導演有意藉此傳遞給大家強烈的感覺，一段淒美的愛戀。

希魔的夢

在國會殿堂質詢行政院長說「你不是希特勒，可是你很像希特勒」，此舉當屬無禮，不過也更加凸顯希特勒那早已深植人心，不易扭轉的形象。發動二戰罪魁禍首之一的德國當年領袖希特勒，戰後的行蹤始終是大眾談論的話點。傳言指出他畏罪自戕於防空洞內，卻始終找不到他的屍首；又有人說他潛逃出境，卻也講不清他逃往何處、何時出走的。希特勒在得知戰情的大勢已去而暴亡，幾乎是數十年來國際間公認的一種結局，因為沒有人有辦法找出更加確切的答案。狀況較為明晰的是，納粹第三帝國曾經迫害猶太人的凶嫌之一，也就是當年集中營裏助紂為虐的醫生，發現苗頭不對，就逃往南美洲，如此的事蹟，還進一步被改編成電影。

一個人的行蹤成謎難免衍生諸多臆測和疑慮，何況是頭號的屠殺者撲朔迷離的下落。認為希特勒在軸心國投降之後還存活的說法從沒斷過，一名老婦表示戰後在某處曾見過希特勒，不過難以說服他人。美國的 CIA 在 2017 年繼川普總統決定公開部分甘迺迪總統被刺案的檔案後，給予大眾一絲震撼的訊息，就是希特勒在 1955 年之前依然苟活於世。消息的來源是一名納粹親衛隊的隊員，希特勒在戰後曾經在哥倫比亞或阿根廷生活過。

如果消息確實的話，推翻了這套原有的蘇聯軍隊進入德國境內，希特勒隨即服用氰化物自盡而一命歸西的說法；如果存活也逃過刑事的追訴期。希特勒的野心，造成人類的浩劫，特別是對於種族的偏歧，數百萬的猶太人民遭受屠戮、流離失所。

希特勒惡貫滿盈，心中充滿殺戮之氣，在他看來有的民族應當被撲殺滅絕，消失於地球之上，從而當起民族屠夫，清理他眼下部分的人口。他自己則僥倖多活了幾年，逃過了軍法審判，如果情報屬真，希特勒就跟一些納粹分子一樣，以為跑到中南美洲躲藏便無人知曉他們的去處，隱姓埋名度過餘生。不過確實少有人知道他意圖亡命天涯於何處。近來又有新的發現，科學家在丹麥的外海找尋到一艘 U 字號潛艇的殘骸，咸信此船就是 1945 年希特勒帶著大批隨從逃避追緝的工具，唯獨船上並未看到人的跡象；於此有人指出，希特勒是要前往北方的挪威而非跑到拉丁美洲。

柏林洪堡大學教授托馬斯•桑德庫勒（Thomas Sandkühler）在他的書中述及希特勒時就寫道，國家總理府的花園有個領袖地堡，在大門緊急出口不遠處就是希特勒和伊娃屍體火化的地方。如今看來，對於希特勒的最終去向都要改寫。為何當時那麼多人都不知曉希特勒跑到何處去，任由他人去想像和猜測，而眾說紛紜。

關於希特勒的新聞始終未曾斷過，近年來紐倫堡市還在拍賣疑似出自他手繪的幾幅畫作，儘管初次流標，市政府表示將再繼續拍賣；而且外電報導有張照片顯示，希特勒尚未充分掌權之前，還與一位猶太籍的小女孩親暱的合影留念，好像一個慈祥的祖父摟著孫女一般，不解的是為何日後性格有著很大的轉變。希特勒生前有些夢想，隨著德軍在戰場的失利，也就無法實現；幸而他的夢走向破碎，大家期盼的和平日子才能到來。

人猶如此

最親近的人生病了，自然而然地想把他送到鄰近的或是理想的醫院接受診治，可是一旦知悉所罹患的病乃是難以痊癒、來日無多的絕症，進入「危機倒數」的階段，恐怕每個人的反應就不盡相同了。作家白先勇寫過一篇〈樹猶如此〉，中文學界的幾位教師將之編纂進入中國文學經典，足見其書寫頗具份量，引起讀者深切自省，閱後帶有啟發警醒之作用。白先勇乃屬將門之後，早年熱好文學，入大學之門後經過一番摸索便逐漸放棄理工的道路，在文壇嶄露頭角。他的小說像《台北人》、《孽子》等等，都是膾炙人口，深深激盪文壇的陣陣漣漪，內容往往受到文壇的側目。

此篇之標題為樹，人與樹木都是生物，一個能隨意行走，另一個立地生根，若逢不順，只能默默的乾瞪眼，作出無言的抗議。此篇實際上真正的主角是人，樹木是被想像、譬喻的物體，引領到與人同樣具有情感之生命體。內容提到白先勇與在美國的好友王國祥，儘管兩人所學的領域不同，依然共同生活數十年。王某罹患少見的頑疾血癌，根據以往紀錄，能夠戰勝這種病魔的機率並不高，白先勇從美國回到台灣，繼而奔走兩岸之間，費盡心力就是要尋求靈丹妙藥，拯救摯友的性命。故事的結局雖以傷悲收場，事隔多年之後，過程還是令讀者為之動容，我並不懷疑其中的情節，有些醫界的人物我是認得的，王國祥最終還是在藥石罔效情況下離開他親愛的夥伴。

人類為何會罹患難以治癒的疾病，有些是遺傳有些則是後天所致。白先勇說他在美國的宅邸後院有三棵大樹，中間的那棵沒有徵象的突然枯凋，作者覺察出不吉的預兆，猶如老天爺發出了預警；於是「國祥開始生病」，讓白某面對一波波的考驗。將樹木比擬為人是種特別的想像，人與樹都會自幼生長，步入青壯階段，而後面臨衰老；人與樹也都會走向凋枯的時日，兩者皆為自然界的生物，於此頗為相同。樹木挺立而長，與人向上長高，也具相似意味，成語中「玉樹臨風」、「指樹為姓」等，硬是說出樹與人關係的密切性。植物與動物都被上蒼賦予生命，既有生命的機能，難保有朝一日生命的時鐘也會有走向停擺的時刻，消失於歷史的煙塵之中，就像家裏平素豢養著貓犬鳥魚等寵物，時辰一到，牠們也有撒手歸西的時刻，當小動物不再以活生生的姿態面對牠的飼主時，結局都是很悲切的，更何況是很親近的親戚或友人。

人可自由活動四處張望、記憶以及自由思維，樹木或許也有情感，卻難被科學儀器偵測出來，這是長久以來的認知法則；不過生物學家近年來提出植物也有腦的說法，也就是植物本身會進行一些思考，能夠尋找最適當的時機開花和結果，只是難以透過科學的方式來詳加解釋，獲得一些驗證。盼望來日能夠解開諸如此類的謎題。或許花朵或樹木還能認出它的主人，還能透過特殊的方式跟主人打聲招呼，感謝他的照料。

國運的籤

關心自己的運勢，可由個人生辰推敲，準確的程度則很難說；高雄市長說要提倡算命觀光，意即他也深信此道，可循此法發展城市經濟。至於每年國運的走勢如何，更是引人關注。不知從何時開始，每年農曆春節期間，有些宮廟或由廟方高層或由政商名流，經由神明的指示，從籤筒中抽出籤詩，再經解讀去推敲一個國家在未來一年之內的運途和走勢；至於準確與否，包括廟方在內誰也不敢掛保證，事實上準不準，也是信徒的主觀認定。奇特的是，不同廟宇所抽出的籤解並不一致，甚至有的意義是相反呈現的。

許多廟宇每日總有許多人藉由抽籤試圖解答心中的疑問，解析出對於未來的幾許疑惑。而國有國運，人人都有個人的運途，指導個人命運的書籍坊間汗牛充棟，內容的準確性也是體驗過的才知道；同樣地，廟中置放籤詩讓大家抽取，解析籤詩的書也應運而生，就看你信還是不信。不過有的籤詩是無書可解的，就像有人拿著「韓風吹起七月風，國家棟樑金平鑄」之籤文去問立法院前院長，他自己也說不知真正涵義，只是他個人曾向媒體說了不想參選副總統，要選就要選最大之類的話。

「抽不出籤」的情況，或許說明為神明不願各方有著自己的一套解讀，製造更多的紛亂。在臺灣首位女性總統尚未產生之前，即預言「武則天坐天」的王爺總廟南鯤鯓代天府，過後所抽出的是「一重江水一重山，誰知此去路又難，任他改求終不過，是非到底未得安」，卦頭講商朝聞太師最後在絕風嶺掛點，廟的總幹事說這屬下下之籤，因為四句卦尾都沒好話，不過「籤詩僅供參酌，人還是能改變命運」。一向被稱作道教總廟的中寮玄義宮抽出「月被雲遮」籤，內文為「花正吐時遭夜雨，月當明處被雲遮，寄言桃李休相笑，一旦雲開自有時」，也被廟公解為下下之籤。

然而南、北兩間有關保生大帝的宮廟，奉祀的主神雖然相同，所抽出的國運籤，卻秉持著「相異」的意見，位於臺南學甲的開基祖廟，循例抽出前籤和後籤，前籤是「韓文公過秦嶺」，後籤的卦頭為「老萊子娛親」，廟方解稱國家雖遇困境，也能轉危為安，現出一片祥和，尤其七至十月是轉機，故此籤屬於吉籤。位於台北大龍峒的宮廟所抽出的國運籤，詩句為「災不厭禳禳自消，禍因作福福宜生，神前旦夕焚香叩，萬事自然保安寧」，則被視為中上之籤。

至於大甲鎮瀾宮所抽出的丁酉年國運媽祖籤，籤頭為「李世民遊地府」；逝去千年唐太宗為保權位，對付手足和政敵，手段是無情的，不過他在走一趟地府後便大赦天下，此籤的後二句為「且守長江無大事，命逢太白守身邊」，既有太白伴陪，此籤被解為「凶中藏吉」，屬於中等的籤。

陸續許多著名的宮廟抽出象徵未來國家運勢的籤詩，不同的地方的聖諭的闡述何以有異，整體來說，還是能找出這些籤詩的共同點，國家的發展依然不免會遭遇到一時的困厄，有些問題可以迅速迎刃而解，有些難關恐怕不會很快的克服，需要一點時機和運氣。對臺灣來說，各種籤詩上所說的好與壞，每年都會遇到。戊戌年時，著名的宮廟所抽出的國運籤詩之預卜，有的說不錯有的卻顯示依然墜入困局中，各方看待不盡相同，要不要讓籤詩改變你的想法，就看你自己的解讀。其實，不用等到過年，籤詩才特別引領風騷；選舉的時刻，高雄三鳳宮的籤詩在網路上被人動了手腳，轉換成某某人勢必擊敗某某人，局面就更加混沌不清，神意遭到了利用。

月球聖殿

報載歐洲太空總署計畫將在西元 2030 年之前，在月球表面打造一座月球基地，其中最重要的是搭建一個高達五十公尺的月球聖殿，主要目的是供登月的人類在此，閒來無事「沉思冥想」。

外國人或許有些人聽過吳剛和嫦娥、玉兔的故事，可能一笑置之，聽聞之後抱持絕對相信的人應當不多。上古時期活動於月亮上的神話早已被破解，廣寒宮究竟為何物，科學家們踏破鐵鞋，也嗅不出什麼端倪，至今更遍尋不著此棟建築，是否曾經存在成為謎題。一個人果真要「沉思冥想」，為何要在月球上才能進行；或者言之，當太空人在月球上進行沉思，與在地球上有何異同之處。月球看似闇然靜謐、鴉雀無聲，景致有異於地球任一角落，此為月球的特色吧。電視節目裏那群專擅爆料的說過，美國太空總署幾十年來已不再派人登月探勘，原因就是發覺疑似其他星球的生物體早在阿姆斯壯的一小步踏上「月壤」之前，便已「捷足先登」了。

事實上美國並沒有停止對於月球的探索，每年都編列不少研究經費在這顆距離地球三十八萬公里的球體之上。其他星球對於地球上的人類而言既遙遠，浪漫程度也不及掛在頭頂發出亮光的月球。曾有異形作怪的電影畫面中，太空人上月球之後，換搭登月小艇，在艇艙內受到不明物體的襲擊，此種類似大型蜘蛛的物體，就像西遊記描寫的怪物或是「蟻人」一族，身軀可大可小，更能化為分子縫隙可鑽，而且動作疾如閃電，地球派來的太空戰士豈是敵手，三兩下後勝負立判，接下來回不了地球的悲劇就發生了，果真客死別的星球。美國的太空人還發現俄國的太空船廢棄在此，杳無人蹤，跟海上發現的幽靈船一樣，他們疑似慘遭外星生物的毒手。

當然這是電影的情節，詳細情形要問專研太空動態的專家們才較為清楚。專家們倒是提供了一些意見，像是如果遇見外星來的生物時，不能與他們對抗更不可趨前表示歡迎，而是設法默默地迴避他們，連四目相望都免了，離得愈遠風險愈低，畢竟不知來者的意圖和戰鬥實力。美、俄的太空科學家近年來已捐棄成見，決定要在月球表面聯合設立太空站，科學家們和太空人不一定找得到吳剛的廣寒宮，未來卻有可能看到太空船停歇的建築體。

適度地冥想據說可解除抑鬱的症狀，對於身心的健康裨益不小，坐臥於月球聖殿觀覽宇宙的長河，感受應與在地球望向天際有所迴異，就在沉思冥想之時，ET 的出沒狀況，應當留意一下。

誰來開燈

電影《桃姐》裏，葉德嫻和劉德華從安養院返回老家開門時，一眼便望見鞋櫃上的貓「卡卡」，劉向葉說卡卡如識途老馬，會熟練的自動開門回家；這僅是影片的噱頭，玩笑話用來一解久未返家的葉德嫻的思貓之愁。

能自己去開燈或開門的動物並不多，因為動物會做出什麼事，或是說具備何種能力，應該都有一定限度，就像人到底可以跑得多快、能長的多高一樣。你希望寵物能跟你對談，成為知心密友，恐怕會變成一輩子都難成的渴望，鸚鵡頂多也學舌，講出反覆訓練後固定的語彙以及特定的聲音，彷若人音機器。報載新北市五股的「動物之家」有隻哈士奇狗「阿奇」，常在園區內找人玩耍，起初動保員以為是志工故意放牠出來溜躂，後來才現阿奇會自行開啟籠門，逍遙於籠外的世界，呼吸不同的空氣，享受短暫的自由；為求安全起見，於是加裝特製的手把，讓牠乖乖就範，難以隨意出入，由人操控放風之時間為宜。只要狗籠的設計不是很縝密，久而久之狗兒會自行揣度「脫困」的方法，這種人類最忠實的朋友偶爾都有的聰明表現，大致還能在掌控之內，不過有些的動物的行為卻顯得離奇而難以捉摸。

現今已無一考定終身的大學聯招考試，想要進入大學的方式變得「多元」，在申請大學入學的第二階段，有的學校科系往往進行口試或面試的方式，對於錄取與否成為關鍵。

有位報考獸醫學系的考生，面試時提到報考的原因，表示自幼喜愛動物，曾經養過一隻兔子，有天他發現明明離開房間已經順手關燈，晚上回到住處的房內時卻發覺燈光被打亮。為了證實自己的疑惑，應該沒鬧鬼或是有人來偷開，該名考生進行實驗，結果證明了兔子會趁著主人外出的時候，自行開啟電燈。面試時該名考生與主考的獸醫系教授彼此就針對這個問題圍繞著，這考生最後被稱之不僅愛護動物也富有研究精神而蒙錄取。

兔子是種望似慵懶，忽然一躍起來卻又顯得敏捷的彈跳動物，俗云：靜若處子，動如脫兔；以前在新竹火車站前，成排的攤商販售兔和鼠之類的可愛寵物，吸引路人駐足，後來市容整頓，景況就大為蛻變了。

曾經有大學農學院的研究人員畜養並觀察台灣黑熊行為的影片，首先在大約二、三十坪的空間內，在小黑熊的面前置放一隻野兔，觀察牠獵捕食物的過程，兔子遇敵自然是驚慌奔逃，可是牠的蹦跳的速度即使再快，也比不上小黑熊追捕的功力；很快的，兔子還來不及發出哀鳴和求救的聲音，身體便遭到大力撕裂的厄運。不過，小黑熊僅啃咬了兔子的頭部幾口，就停下進餐的舉動，接著把牠的餘剩的食物就地用芭蕉樹葉和沙土將之掩埋。

兔子遇熊，無力對抗暴力式的侵奪而掙脫，無端且無辜地就這樣失去了寶貴生命，畫面亦充斥著血腥，一旁對於小黑熊的捕食天性感到好奇的觀察人員，逐步紀錄牠的行徑。

想要唸獸醫學系的這位愛兔人，自己亦不曉得他的寶貝寵物是如何去開啟電源裝置，猜想一下，如果兔子的四肢能夠切換燈光，開關應該不難被碰觸到，且牠的力道也適中，所以牠能開燈。至於體型略大的貓狗，亦應非難事，那更小的動物，或是昆蟲，若能開燈，就更神奇了。

最 X 車站

自然生態作家劉某，熱中於觀察人文景物的變化，自稱每年都會搭乘火車來到中部的一個臨海車站：新埔站，此站特殊的地方在於這是西部海岸最靠近海洋的車站，他觀察海線火車的動與靜之變化，像是車廂從電扇到冷氣空調，每處均是仔細品味的對象；也與車上的農夫和魚販交談，他覺得如此為「美麗的邂逅」，有著難以形容的愉悅。來到海邊，自然免不了望海興嘆一番，但是他並沒有說眼前的海洋有多麼的美麗和壯闊，或許是海濱四周的地景和植物群更加吸引了他的目光。

四面都是海洋的臺灣，靠近海的車站往往是劉某喜歡去的車站，好比位於基隆市和新北市瑞芳交界的八斗子火車站，火車站的前方有個瞭望台，可看山景海景還有火車奔馳於道上，這個火車站被媒體譽為全臺灣最美的火車站。

大多數的旅遊者都不曾走遍全臺灣所有火車站，以及好好的沿途賞覽風景。筆者有時登上火車也走馬看花，無從評論和比較何者是最美的火車站，如果說火車可到之處又可觀山海景致，海線的火車站應有不少，也不一定拘泥於現今存有的火車站，好比現在的淡水捷運站，於 1990 年代之前就是火車站，1997 年 3 月以後才成為捷運路線，月台上可看到隔著淡水河的觀音山，最遠處可望見出海口的落日，就不知「兩岸」大橋蓋好，通車之後，夕陽還會這麼美？

最美的車站在臺灣的話，應該還有好幾個，至於有多美，何者最美，端賴個人之見聞和感受。像台東的多良車站，能夠觀山看海，然而因遊客眾多，設施易遭毀損，時常需要修復，所以不是經年都開放。有些地方甚奇，就像九二一地震後的產物集集車站，災後重建復葺變成一個觀光景點，復建後能運作自如的車站讓人懷想災前的美況，那是一個可以帶動小山城繁榮的觀光樞紐點，車站的復原代表許多的建物從坍塌後碎裂的廢墟又被打造為新穎的物體，人和所飼養的寵物們也許繼續生活於屋內，有的只能回味，或憑弔追念那種種的從前，許多的從前就此煙消雲散，難以找尋。與集集車站齊名的武昌宮提供了大地震前和民國 102 年才建好的二種建築，舊殿凍結天搖地動後的傾頹，不願將之清除據說是神明頒下的旨意，新蓋的大殿則能看見主神的鬍鬚令人驚訝地年年在增長，可能也是神意。集集車站還被複製在其他的遊樂區，強調的就是地震的記憶。

最美的車站帶給旅客良好的感覺，忘卻旅程中的疲憊和不快，感受那存在文明滄桑末端的美；那不美的車站也是有的，據說走出這個車站看見對面的一棟建築物，感覺黑漆漆怪可怕的，猶如怪屋，那就不是車站本身的問題了，不過車站如果到處都是外籍移工，入站彷彿到了異鄉外邦，情緒就更形複雜了，下一秒想想護照或台胞證有無帶在身上，隨時將派上用場。一個地方的美醜好壞，只是存乎個人體悟。

動物始祖

無論是雞還是蛋率先出現在地球上，看來任何一種都較人類的出現來的早；從國民中學開始的生物課本裏我們學習到許多的動物，不管是陸地的、海洋裏，或是翱翔天宇之際的，牠們存在地球上的歷史比人類來的長遠多了。

科學家們邇來發現一種活躍於 5 億 4 千萬年前的微型生物，稱做「冠狀皺囊動物」之化石，在中國陝西挖掘出土。它是目前可知的「後口動物」總門中最為古老的化石，它的大小大約只有零點一公分左右，與平素所見的跳蚤差不多體積，在顯微鏡下的該生物口部占體型極大的比例，身上找不出排泄的構造，卻有一些圓錐的孔可讓海水進入，所以廢物的排放應該也是同一管道。

傳說中的東方神獸貔貅，是種只吃不拉的奇異動物，人們覺得如此一來，頗有聚財不外漏的效果，把牠奉為吉利招財之獸，最好家中的吉祥位置擺上一尊，看來比招財貓更具典雅的「神氣」，應可帶動氣場使財源滾滾而來。然而冠狀皺囊動物是自然界真實存在的動物，神奇之處在於進與出都在同樣的部位，誰又真正見過奇獸貔貅的存在呢？

國外的科學家能找出五億多年前的動物化石，國內的國家同步輻射研究中心的團隊，經多年的努力，在雲南祿豐地區發掘的龍肋骨化石的微血管通道內，找到完整的膠原蛋白和金屬微粒的聚晶體，而化石約有一點九五億年；這項發現的驚人點在於如果未來能從膠原蛋白的胺基酸中，逐步解析出恐龍特有的 DNA 序列，可讓世人更加清楚恐龍的身世之謎，甚至就像複製牛羊般的也能進一步複製恐龍，當然還有若干障礙有待化解。

比人類更早活躍於地球的動物為數不少，有的仍存留於世上，有的則杳無音訊不見蹤跡，它們因為戰爭或是天災的降臨早已絕了子嗣，與人類不復再相見。電影侏羅紀公園裏，從蚊子的血液內「提煉」出恐龍的 DNA，再度得以複製出原來的形貌，未來恐怕不再是夢想，問題是那些早已斷了後代香煙的動物們，當其重現江湖之時，人類是不是會像影片中被牠們終日追趕，深怕下一秒就成為牠們圖以果腹的點心，而沒命的四處狂跑。

十九世紀末年開始，各地的古生物學家，致力於已經滅跡的恐龍的研究，過去大型的動物也愈可能以新的面貌呈現，一向看慣的好萊塢式電影裏，當憤怒的恐龍與全副武裝的部隊血腥火拼時的慘況，會不會也跟著重現，屆時又有誰願意伸出援手？

打火之外

大家都知道，電話撥打 119 的話，接話的那頭兒通常會問你哪裡失火了，還是有什麼災害發生，哪裡有病者該協助運送的事，告訴你救護車大約幾分鐘以後會到等等數語；但是現在社會上想找這個救火單位幫個忙的，應該不只是跟上述那幾件有關，像是捕捉虎頭蜂、蛇類（不管有毒無毒）、驅除異類的入侵、閒逛（猴群是其一），是最常見。其他如揹人上樓、鑰匙掉入水溝、貓狗卡在樹梢、家中蟑螂肆虐或其他不明怪蟲的駕臨，五花八門無不俱足，甚至自己覺得家中或教室鬧鬼也可列為求救項目之一。

就怕自身成了他者來救的對象，過程中稍有不測，很可能自己牽累了他人。火場瞬息萬變，常令救災者措手不及，遭受異物阻擋逃生之路，所以傷亡迭有所聞，連訓練有素且資深的打火弟兄在濃煙和視線難辨的情況下，都難以掌握撤離火場的路線和契機，繼而憾事頻傳。甚至，略有不慎，自己的身體還會被消防車的水箱車斗壓到，造成意料不到的傷亡。職是之故，基本屬性為救火的消防隊，其主要權責是否還囊括捕蜂捉蛇等「旁務」，一度引發「論戰」，而消防員的根本任務在法定上為預防火災、搶救災害以及緊急救護傷病，在大型的災難現場像地震、颱風、洪水或是車禍、土石崩塌，消防人員的馳援自然是無可厚非，可怕火警的排除更是他們的本業；而「緊急救護」的涵義就顯得界線模糊，求救者遇到的難題都是因為自身難以解決，才會進一步找上消防隊。

警方算是人民的保姆，遇搶遭竊，各種災難和困頓，面臨危機而難以排解，民眾會想打 110 報案，看到一般的車禍更是如此，必要時呼叫救護車趕緊抵達現場，拯救受傷的人。當小朋友的數學習題不會寫，或有人感情生活遭受挫折需要勸慰、輔導時，應當不可最先想到由 119 的接線者來處理，因為電話會占線，卻依然有人嘗試過。電話占線的後果就是貽誤他人報案的時機，該搶救的地方反倒就遲遲未到。不過還是有讓救火隊徒耗時間的地方，幾年前筆者所居對面一棟大樓，有間出租套房傳出陣陣煙味，懷疑有人在內燒炭，為恐不測，大樓管理人員喚來大批警消，正準備破門一探究竟之際，該住戶從外趕回看見現場狀態頗為驚訝頻呼抱歉，直說忘掉關閉燒烤爐具，才釀成虛驚一場。消防隊員們扛著沉重的器具陸續離開，一名隊員經過我面前時喃喃自云：真是浪費社會資源。

虛耗於一個現場無謂的時間與人力，既無救災也沒救人，投入價值難以衡估，卻可能耽誤其他處所的急迫需求；占線的電話，可能妨礙了救災的時機，不也是徒費社會的資源嗎？

填海造陸

古代有精衛鳥，嘴巴叼著草枝或銜著石粒，想用嘴裡含著的東西把東海填滿。現代也有人想去填海，不過他們的想法、目的跟神話中的動物不太一樣，雖然時代進步，事實上也不可能達成這類古時小鳥的願望。透過現代化的工具和儀器輔助，中國大陸當局在南海所據有的島嶼上，近年來不斷擴充領土的面積，尤其是幾個過去遇到漲潮就行淹沒的島礁，經過一番整飭之後，好像被仙人神奇的魔棒點了幾下之後，立即改頭換面，不但興築官兵的房舍，直升機也能起降，再過不久，大型戰機的起降跑道也映入眼簾了。

有些天然的島，據說會默默地自行變大，像是澎湖群島中的某一個島便是如此，這與南海上中國大陸的建島方略大異其趣。一帶一路政策的展開，位於南亞地區、印度洋航道中心點的斯里蘭卡之首都可倫坡港的商業新城開發案，由中國交建集團負責承包開發，目標是要進行二百六十九公頃的填海造陸，藉以打造出可容納二十五萬人活動的高級商務區，全部的辦公大樓、住宅和商場等預定 2037 左右能全部施工完成。這是一項公私合營的計畫，據中國方面宣稱，可謂斯國創造八萬多個就業機會。

看起來是對兩國都有好處的事，雙方都很樂意進行，但是土地不像樹上枝葉的延展，或是果實隨著季節會自然長出，因為地球表面就這麼大，前人佔領了，後人只能盤算著餘下的地該怎麼用。中國把造島的技術運用到斯國的擴港上，疏濬的船隻持續進行填海的作業；如前所述，古代的精衛鳥口裏銜著樹枝石頭要去填滿東海，不過牠並沒有成功，因為鳥力甚微無法改變自然，否則地球的版圖就改變了。中共軍方的海砂船把他們的南海諸島面積擴大了許多，引起周邊國家的關切，船隻要通過以往的路線都會受到影響，更何況擴大領土者別有用心。多年前美國的歐巴馬政府就曾放話：即使把全世界的沙子都運過來也沒用。現在的川普政府更是隨時緊盯著島嶼膨脹的速度。

話雖如此，想造陸地的還是繼續辛勤的幹活，擴充島嶼本身也需要時間和技術；不像有些島的面積時間久了形體會自然變化。尼克・米德頓寫的《地圖上不存在的國家》，臺灣也名列其中之一，顯然作者本身就有其政治立場，他認為 1971 年之前，被孤立的是中國大陸而非臺灣，不過「日益荒謬的情勢受到了逆轉」，在全球，難得找到臺灣駐外的大使館，能看到的都是一些商務代表處。

米德頓之言其實也沒甚麼錯，從他的話中看到西方人眼中的自己；或許是這艘人稱西太平洋不沉的航空母艦噸位太小也有可能，如果擴充「幅員」能讓世界看的到我們的存在，就盡量設法增胖些，讓填海造陸成為政策的選項之一。

快樂學習

兒童福利聯盟的一項調查報告顯示，國內只有約 1 成 5 的學童「非常喜歡去上學」，像挪威、芬蘭等國還有四成以上，國際平均也有 33.5%，教育部國教署認為這是一項警訊，改進之道為「減少校園霸凌、鼓勵適性教學、提供多元社團和展能」，不要把學校弄得像監獄，讓人感覺上學還挺愉快。

根據學者研究分析，世界上人民生活的最快樂的國家是北歐的芬蘭。以前的芬蘭飽受鄰國的武力威脅，不知強大的隔壁鄰居何時派軍跨越邊界而來，讓人毫無防備。不過現在時局遷易，生活壓力比以前小多了，而且看來該國的學童普遍對於上學充滿興趣和期待。

學生是否樂於前往學校念書，是教育界應重視的問題，歷史經驗告訴大家，對教育的漠視會導致嚴重後果，甚至危及國家生存。不過只要有問題出現，官方的答覆大抵都很制式，好像是對著媒體宣達一些理念，或是發布新聞稿後問題就迎刃而解。事實上，創造和諧學習環境，老師和受教者都有責任。因為教育的方法一旦被稱為填鴨式，學生的學習過程通常不會太快樂，既名為填鴨，不管美味與否，胃腸能否接納，就要硬塞入腦，壓力逐步上升，久了恐將爆表。不過把這種類型的學生與其他各國的學生放在一起測試，中小學階段的學生應該可以名列前茅，到了大學之後的表現就很難講，因為他不懂得把知識一步步地消化掉，再行創造發明。

試著從最幼齡的兒童教育方式開始注意，有位剛念幼兒園的小男生，上課一周後希望能夠「請假一天」，他母親心想讓這剛接觸團體生活的四歲小童休息一天也好，就帶著他到臨近的公園去散心，他娓娓道出自己悶悶不樂的原因，就是每天上課時，老師說坐下就坐下，說上廁所就上廁所，說喝牛奶就喝牛奶，說站起來就得要坐起來，好像對待初入伍的新兵。她媽媽聽完他的訴苦後說，老師因為要同時照料很多的小朋友，於是就立下很多的規定，希望他們遵守。

沒有規矩，就成不了方圓，老師勤於發號施令，就是怕亂了套，特別是稚齡孩童，需要大人的引導，班上看起來才會秩序井然。這在哪一國其實都差不多，不過德國人教育小孩子的方式跟亞洲地區，特別是臺灣人不太相同，我們很久以前人人心中或是頭頂上被拴上一塊招牌，叫做「不要讓孩子輸在起跑點上」，這塊招牌讓家長們時時警醒自己不能讓小孩的學習有所拖延。於是小朋友就會受到各式補習和才藝的折騰，萬一輸在起跑點上，可能耽誤了他們的前景，沒有人喜歡輸的感覺，為了將來的成功，寧可現在就拼一點。

德國人的思維就不太一樣。他們告訴世人，兒童需要充分的睡眠時間，所以德國的小朋友可以睡很長的覺，這不僅有助於生長發育，對於學習能力也很重要。我國最近才有人倡議中小學生上學到校時間該如何彈性化，換句話說可讓學生多睡一點再出門，可能會有助於學習，注意力也較集中，這方面德國人早就想到了。

德國的教育體制跟亞洲的國家就不盡相同，德國人初臨臺灣一定很難想像為何萬般皆下品唯有讀書高，士人排在農工商等行業之前也不一定正確，因為他們長期以來講求分科的訓練方式，技職教育的發展一樣受到重視。

鼠及恩人

以前讀大學時曾旁聽 L 老師的課，這位在海德堡大學以海涅為題唸完碩士學位的民主行動派的先鋒，三不五時都不由自主的提到海涅，雖然聽者不至於因重覆過盛而耳朵長繭，卻也不免感到枯燥心煩，又不能讓講者察覺你對他的課很索然，以致整體氣氛頗顯凝滯，恨不得早點下課，離室而去。不過他有個花樣倒是挺有意思，就是每逢哪一個生肖年，就要大家去蒐羅那種動物的書名，然後把它們彙集謄寫成為目錄，再把這項作業交給老師。

對於此項任務，以目前看來並不至於太過艱難，可是在那種圖書館作業系統並非發達的年代，就得要花費不少的時間去查閱。記得那次是鼠年，自然而然會叫大家去看看有何種關於老鼠的書，以老鼠為書名的書籍固然不少，有的同學為了豐富自己的成果，除了家鼠、農地裏活躍的田鼠、被逮來當實驗的小白鼠之外，也加上了在樹梢間蹦跳的松鼠。

松鼠的模樣與一般常見的老鼠非常近似，牠們行動飄忽、鬼祟、擅於各方位的跑跳，感覺上較不怕人，網傳有隻松鼠突然昏迷不醒，主人還在幫牠進行 CPR 的畫面，足見主人已把牠當成家庭成員來款待；而全臺多處公園或綠蔭處就有人拿著花生米在餵松鼠，鼠輩也定睛望著眼前的食物，不會任意跑動，可見人類贈予的食物，對其吸引力有多大。小時候，家裡的冰箱上就有一隻松鼠，每日保持固定姿勢作俯衝狀，模樣頗為駭異，然而我們無須加以餵食，因為牠老早就被人擒獲製成了標本。

好萊塢鬼才導演昆汀・塔倫提諾（Quentin Tarantino）執導的《惡棍特工》，克里斯多福・華茲飾演的第三帝國黨衛軍上校，德軍攻陷法國後，他跑到法國農村搜捕猶太籍的酪農，華茲明知這些猶太農夫被法國人所藏匿，還要煞有其事訊問一番，他告訴心存僥倖的掩護者，我們平素很嫌惡老鼠，感覺牠們跑來跑去會傳播疾病，可是我們對於松鼠的看法卻不一樣，那不就奇怪嗎？松鼠不就是長著一條尾巴的老鼠呀。被問的農人表示這問題還挺有趣的，接著華茲以殺害他的家屬為由脅迫他說出掩藏猶太人的內幕和過程，開展了下一場的殺戮。

基本上，老鼠是可厭的，特別是家鼠，為了覓尋食物或閒來無事，啃咬家俱以及衣物，不時展現牠們的絕活向人類挑戰；人類也害怕牠們會傳播疾病，視之為寇讎，老鼠無疑成了現代的全民公敵；祝壽的餐宴上如果布置出生肖的動物，那放上成群的老鼠在桌上四處「鼠竄」，不免讓人感覺心裏直發毛，不知食物是人先吃抑或鼠輩率先嘗鮮。松鼠的地位則不然，常於公園見人餵飼，松鼠也樂於品嘗人們奉上的鮮味；其實這不是善心之舉，而是破壞生態平衡的行為，松鼠也會啃咬樹皮對於樹木的生長產生危機，也會上樹翻攪喜鵲的鳥巢還吃掉鳥蛋，不僅道德有虧亦損及地球的自然生態。就如同風景區中的藍腹鷴開始翻找人類吃剩的便當殘餚，逐漸變得不再畏懼人類，但也使牠們飲食習慣大為改變，健康狀態令人擔憂。

松鼠如果慣於人類的餵飼，飯來張口後便懶得尋找天然的食物，演化為變相的家禽，缺少對抗天敵的能力，生存的力量變得薄弱，反而讓牠們陷入危殆之中，恐怕「假以時日」，牠們就變成了珍稀動物了。

租賃春秋

供人典當傢私的鋪子，說「萬物皆可當」；自然，人不能被算在「可典當之物」裏頭，不然雙方有買賣人口之嫌。同理，車子可租，無論是貨車、大小客車、機車、自行車，或是起重機具或吊車、坦克、飛機，只要談好價格，雙方點頭合意，皆可租賃；房屋就更不要說，真正想租的話，只要不是凶氣太盛，價錢又合理，也管不得是否為上等吉屋，均為考慮之列。

「租」的發明，讓人覺得對於「物」是暫時的擁有，過了約定的一段時日，終將失去，回返真正主人的掌心；租期之內的承租者，則須負擔一定的金額。不過像是食品類的東西可否進入租賃的範疇之內，得視情況而定；既為可食，難免有保存期限，除非永久防腐否則一旦腐壞，形同可厭棄的垃圾，將被丟擲入桶，勢必無法順利進入腹內，進入消化的過程；何時冰凍和退冰，考驗使用者的智慧和能力。好久不曾出現的一則電視廣告叫「普渡拜拜，毋通隨便，用 xxx，尚介實在……（台語）」；也就是說，這樣的廣告必定是在特定時節播出，平時若播就顯得奇怪。告訴大家的是，應當準備好豐盛物品，用以饗宴好兄弟。

嘉義縣臨海的一間宮廟的信眾，有鑒於豬價高漲，農曆七月十五普渡時，部分人士改以租用毛豬來普渡，而且廟方還舉行中元贊普豬隻出租的公開儀式，因為自行購買一隻全豬要一萬二千元，每頭豬的租金約四千多元，雖然感覺比起前一年略貴數百元，不需算盤敲敲也知買比租貴，用租的才是上道，一般小家庭的人看到全豬便難以處置，於是選擇較方便的方法；不過廟方也有個前提，在普渡之後就不得再行回收輪普。

至於典禮結束拜完的豬仔的去處呢？跟煮熟的鴨子一樣，豬仔動彈不得更不會飛走，保持靜止狀態，魂魄早已歸西了，軀體只能任由他人擺佈，廟方的總幹事說儀式走完之後，肉品要現場分割，轉賣肉品業者加工來進行製作肉乾，不能再被挪作輪普或是其他之用。

普渡會用牲禮獻祭，應是恆久以來的事，大家也樂於沿襲多年來的慣習，遇到大型的節慶，還有賽豬公的活動。如果養豬需要以管子輸送食物和養料進入牠的嘴裏，又令牠不能動彈只能把身子養胖，相信豬仔雖有東西可吃，心情也不會太好。

AI 職業

如果人工智慧的演算法，在辨別人臉特徵分析出同性戀或異性戀的準確度達到 91%，是否牽涉侵犯隱私權或個人利益？不過說來令人發噱，同性戀者的臉部究竟具有何種特徵，有的科學研究者指出，男性同志通常呈現出「前額較大、下顎骨較窄、鼻子較長」；而女同志則看起來「較為陽剛、下顎骨較寬、前額較小」；換言之，男女「同志」的特徵正好相反。但是科學家要電腦去做這項工作，難保不出差錯；所以還沒開展，已經議論紛紛。

但是若把 AI 運用到現階段的服務業上，應該就不會有觸法之虞。一種名為 Pepper 的機器人已被運用於大眾市場。網傳影片中，東非的索馬利亞海盜，成功的攫取一艘大型貨船並且控制船上成員，不料他們的噩夢才要開始，當海盜們打開船上一個貨櫃時，數十個「Pepper 的同類」頓時湧現，其身軀較 Pepper 更加魁梧壯健，當下主客能力易位，海盜在所有血肉之軀的船員面前耀武揚威，卻不得不臣服於人類所創發出來的機械動物；換句話說，光是執行警衛、守備的工作上，機器人較血肉之軀反而更加勝任，雖有幾絲嘲諷，不過現今有些自助式的旅店或大型賣場，機器人在大廳協助迎賓或是提取客人的行李入房，都不至讓人太過吃驚。如果寺廟引進 AI 人工智慧型機器人，端看是否能取代原先在廟裏從事各類服務的工作，這些工作不只灑掃、安燈、收取來客捐奉之獻金，還能幫忙帶領團體解說、導覽，解答籤詩中的內容，包羅萬象，慢慢形成風尚。AI 級的廟公想必帶來一番新的氣象。為順應數位科技風潮，已有金融機構引進「Pepper」之機器人為大眾服務，基本上，這款工作者服勤時可準時上工，且無職業倦怠症之虞。

現在的 Pepper，約為國小中低年級生的身高，服勤的體力為八至十二小時，他還不能與人進行深入和清晰的對答，胸前的螢幕就是彼此溝通的領域，各個選項任人來選取，經由語音系統發出制式答案。日本的 SONY 計畫推出能夠與人類「以眼傳情」機器狗，每隻單價約五萬多元台幣，一旦假狗擁有與真狗差不多的智慧，那隨後創製而出的其他類型機器動物，也能是有情緒、與人類可做基本溝通的物體，那我們愛的是假的還是真的動物呢？

外觀極似人類的機器人，經由語言程式的訓練後，會說出想要組成家庭的願望，讓機器人分別在家裡扮演爸媽、兄弟姊妹等等角色，應該可以彼此溝通，甚至能夠勝任電視台的節目主播，只是被人類所發明組裝的物體，不知將來如何繁衍下一代。機器人型的情人雖然無法生育，但她不會鬧情緒、爭奪財產，可定時發送簡訊給正在上班時刻的你，當然她也不會長青春痘、沒有生理期的疼痛、不會任意亂跑，日常生活中還能與人進行簡單的對答，在日本還未上市已引發未婚男士們的熱議。

現今在很多公共場合，都能看到許多 Pepper 們為民服務；AI 產物的出現，勢必逐漸取代一些行業，尤其是大量人力使用的工作，但沒想到，機器人也會寫現代詩，詩句感人肺腑不輸真人筆法，日後走在街坊之間，迎面而來侃侃而談的，恐難區分的了他是依靠電力維持生命還是血肉之軀。再者，部分人士憂心將來戰場上的軍隊是否變成人們所驅策的AI大軍？萬一如此，雙方開戰，血流成河的形容已不再，因為到處是機器的爆炸聲響。

凸槌飛彈

一張招募入伍的宣傳照裏，拿起武器瞄準前方的女兵被人指稱姿勢有誤，照這樣的射擊方法，後座力的撞擊，恐先讓自己變成「豬頭」，不過這還算「廣告」階段，意即尚未發生的事，暫且呈現一下軍旅的美好，有些已經發生或快要出包的事卻會令人搖頭。

屏東的海軍陸戰隊在靶場射擊時，同一時間距靶場約 1.5 公里外的一位民眾後肩突感一陣刺痛，因為看不到背後，找他人來仔細一瞧，原來有顆子彈嵌入了他背部。子彈自己並沒有眼睛，用以區判前方友敵，或者找尋它自己喜歡或不喜歡的目標前進，完全是由使用武器的人進行擊發所致。

在此之前，海軍已發生高科技飛彈誤擊漁船的事故，然而有其一似乎就免不了有二，海軍的標準二型飛彈的鼻椎罩在無外力壓迫的狀況下，經由檢視，居然出現了裂痕。其他像鷹式飛彈在演習時偏離軌道，或是空軍的天劍二型飛彈發射後，不往目標區前進，逕自掉入海中；以及海軍成功級軍艦在吊掛標準一型飛彈的時候，重重的摔落在甲板之上，軍方說法是，雖然撞擊甲板造成彈頭和尾翼受傷，初步研判還能修復，也同時把部分零件更換後一如正常般的使用。但是目擊者指稱，這顆長四公尺多又重達六百多公斤的彈體，外觀看來已經是很不堪，難以展現它的神威了。

導彈不是射得遠、威力大就討人喜歡，繼而搶先去使用。早在 2017 年的年底，西方國家最想探知的中國解放軍新型洲際導彈東風 41 型，推測已率先部署在河南省境內，它的射程可突破一萬二千公里，幾乎全球都在其覆蓋範圍之內，自然引發許多國家的關注，對美國而言更是狠狠的添增防衛上的壓力；尤其是，以前的東風 5 型，瞄準一個點可能偏差就好幾公里，東風 41 則做出大幅度的修正，偏差度只有一百公尺，準確度之高相當驚人，對於大城市的威脅性甚鉅。

飛彈不是人，跟上膛的子彈相似，需要有人操控它的發射方向，告訴它：你應該射向哪一個目標，當你爆炸之時，也就是完成神聖任務的時候，不過也為國捐軀煙消雲散了，留下的只是幾許煙塵。跟人不一樣的是，炸射後的貢獻就算很大，也不會頒發旌忠狀或革命勳章，炸完之後，往往也就是一場遊戲的結束。「誤射」的事件，若發生在己方，當然是最糟的事，不過要是設法迫使對方發生如此錯誤，必能扭轉乾坤，局勢改觀。

寬恕是愛

電視廣告裏，來到班上處處受到排擠的胖胖小姑娘，被人用紙條畫了一個大大的「豬頭」還嘲諷她是留級生，沒想到經過一陣運動和臥薪嘗膽式的用功之後，不但成為一位刮目相看的美少女，學業成績的評比還獲得全校第一名。

把同學欺負到哭的人，十年二十年過後再回想過去的作為還會沾沾自喜嗎？或許有幾絲悔意，也可能繼續的無感。上述是宣傳廣告，接著卻是真實的新聞：三十幾年前從被霸凌的班級畢業的許同學，同學們再度聚會時，大多數人都成為人夫或人妻，她跟現場每位老同學擁抱，很多人都流下眼淚，為當年的作為內疚和自責，懺悔而哭泣。被霸凌的許同學說「謝謝你們都還記得我，我早就原諒大家」。

看樣子當年全班多數人都曾欺負她一人，或是案發時作壁上觀。被霸凌者應有異於常人之處，據說常被叫 E.T 或怪物；戲弄她的人，趁她快要落入座位時，把椅子位移使她跌坐並且踢她書包，讓她感到苦痛難受，除非是天生樂於受虐，否則無人願意受此對待。

霸凌別人往往造成他人身心受創，是教育界長期注重的議題，大家都設法去避免也祭出懲罰條文。顯然許同學頗有襟懷，原諒當年那些欺侮她的同學，她也可選擇繼續記恨，不與當年與她作對的老同學們來往，甚至做出類似報復的行徑，一雪過往所受的淩辱，讓以前欺負她的人嘗到苦果；但她寧願選擇忘記當年的苦痛，原諒苦痛的製造者的行徑。而與霸凌他人的反面動作就是努力敘說別人好的一面。大專院校裏有個社團名為讚美，通常是具有宗教性質的，招徠夥伴加入這個社中，除了定期念誦經文，歌頌偉大的神也是必須的，因為入社的目的無非吸收入教的新血。讚美他人的舉動就是一種鼓勵，希望大家能夠效仿他的行為，沒人希望自己一直遭受謾罵和無端的攻訐。

有家貿易公司的老闆在教導新進員工時，說「我們都要能夠不斷讚美別人，用讚美取代責備或謾罵」，聽起來用意甚佳，企業界和氣生財，強調利益為先，讚美取代了批評，頗讓客戶心花怒放，兩相得益，何樂不為。但讚美並非隨意亂捧，搞錯了時機和對象，拍錯了馬屁後果就難料。三國時代的關公帶著眷親過五關時，除了第一關的守將，其他的關主都在跟他逢迎拍馬，藉以鬆懈防備，最後都被關公識破詭計，最後一關跑來了曹營的獨目將星夏侯惇，若不是張遼及時救駕，下場就很難講。

也就是說讚美應是發自誠心的表達，相信對方也能感受得到，而不是假意吹捧一番。無厘頭的讚美有點像其貌不揚的女性硬是說成西施、貂蟬，被亂讚的人若有智慧，自己心裏應當也明瞭對方的用意。

險地思安

居安要思危，是常見的一句話，告訴我們人的避險能力並非盡如己意，即使人在家中坐，也難保毫無意外發生。而且我們，很難與一般的的動物在很多方面分出高下，就像到東非觀賞動物大遷徙的旅遊團，可能沒想到即使保持安全距離，也會被看似笨重的河馬弄出死傷來，看起來人難與獸來爭鬥。

不過人也難與天鬥，鬥不過就得設法搬離那個環境方為最佳之法。居住在幅員遼闊的俄羅斯，就可以感受到許多中低緯度國家看不到的驚奇，這樣的驚奇應非剎那的驚喜，而是提醒人們要有所防備；這樣的防範也是擔心性命的安危。出門望見一片靄靄白雪，還有若干寒帶動物環伺在側。然而，不僅出現讓人驚詫的現象，還有令人愕然、恐懼的事，據報導，在俄國 Krasnodar 附近軍營有民眾拾獲一只手提袋，裏面裝的不是生活用品或是其他雜物，而是女性的殘肢，接著於附近找到更多的人骨，這才揭露住在鄰近軍營宿舍的一對夫妻，十八年來至少殺害三十多人，且將人肉和器官當成食物烹煮，吃不完的就堆放地下是的冰箱，鄰居說他們的屋舍內外不時飄送藥水的味道，待要趨前詢問時，他們夫妻兩人面露兇惡之色，令人望而生畏。

十九世紀的開膛手傑克殺害了五個妓女，新聞轟動一時，現在還有人尋找他的墳墓。這一對食人一族的夫婦的犯案時間如此之長，也叫人開了眼界；人吃人並不是新鮮事，特別是在饑荒、逃難的年代容易發生。平常吃葷食的大眾，舉凡天空飛翔、地上奔馳、水裏遨遊的動物，都屬盤中珍饈。在俄羅斯，人也會被其他極力爭取糧食的動物當成點心所食；有個俄國的石油工人，被人發現遭遇棕熊攻擊，熊把他的內臟幾乎吃光後，然後把他的剩餘屍首用樹枝和樹葉加以掩蓋後離開，根據動物學家的說法，棕熊這樣做是為了蓄藏食物，「還要回來啃食剩下的屍體」。

凡是人類被其他動物伏擊而亡，都讓人為之驚悚，人已一命歸天，還要吃他的肉身，更教人不寒而慄，宛如人類以外的動物可能恣意將人滅絕，如此人類將被他者所掌控，地球的主宰將會更易。這看起來有些多慮，不過，這起事件發生之後，該地區已有約十五人因感受到棕熊可能對其住宅的危害，請求警方加強巡邏和保護。

居住在這「熊出沒」地帶的居民，好比是居住在臺灣獼猴氾濫或毒蛇肆虐的山頭，隨時面臨被滋擾的危機，身體安全遭受威脅的危險，如果不想遷移到其他的良地繼續生活，就得想出其他的良方。

假外星人

報載，極為遙遠的宇宙另一端的星球發出巨大的電波，試圖引起地球的回應，以達敦親睦鄰之功。長久以來，地球之人對於有無其他星球人的存在，或者說其他星球的生物長得如何，大家都好奇的不得了；先進國家對此早已投注大量人力物力進行研究，「非地球人」不一定來自外太空，有的或許會從深不可測的海溝冒出來。

已有人出來承認在 1947 年拍攝的羅斯威爾（Roswell）外星人解剖的紀錄片乃是偽造的，這種似真若假的玩意兒曾經引發不小的轟動和論戰，許多影片或傳媒以此為發展根基，宣達其他星球生物前來地球造訪的真實性。電視監製 Spyros Melaris 供稱，這一部後來在 1995 年經由英國商人 Ray Santilli 向全球電視台兜售的影片，其實是於倫敦的住宅內拍攝，當時外星人的屍體係由乳膠捏塑而成，再把從市場買回牛羊等動物的內臟塞入外星人的模型內，權充他的內部器官，並曾考慮由樹梅果漿充當外星人的腦漿構造。

當初一時興起，只是為了搞笑，沒有想到事件一公布開來，便受到原本支持幽浮之說學派的支持和渲染。當初就有真假兩派之爭議，變成信者恆信，不信者恆常宣稱這一切都是假。大家很容易看到天空現出什麼樣的異象，就認為外星人的造訪，好比俄羅斯的一座城市上空出現一朵黑色的雲圈，像是一塊邊緣為黑色的麵糰在空中飄浮，久久而不褪散，不禁讓人猜想它是外星人所搭乘的一種幽浮嗎？看到的人繪聲繪影的渲染，不過還是有人理性的判斷，附近化學工廠排放的黑色氣體，受熱竄升而上所形成的可能性較高。

諸如此類的觀望天際有何物出現的事件接續發生，於是想像外星人開始與地球人的接觸事蹟，次數更顯頻繁。只是，假外星人的形體經過這些人的捏塑成型後，除了世人更加相信宇宙間有異於人類的生物體會飄遊於星球之際，也更加貼切地描繪出外星人的外型，連拍攝異形之類電影的編劇和製片們，在他們的鉅作裏，紛紛複製當年假外星人的模樣，他們頗似於人類，卻又不是地球上任何的生物。

據信現今美國政府還在編列預算進行幽浮計畫，最好能捕捉幾隻來觀察內外的結構，也要對月球表面做進一步的探索，無非想對外太空更深的瞭解。中國的嫦娥四號飛奔到月球，去捕捉地球人永遠看不到的「另外一面」，事實上找不著外星人及其建造的基地，各種繪聲繪影都拍不到，只看到大小不一的坑坑洞洞，讓外星生物迷有點失望。

「假外星人」的塑造既然成功了數十年，表示很多外太空的議題還在臆測之中，無法像電影《長城》裏的麥特戴蒙說的「去抓一隻饕餮怪獸來研究看看」的手法來判斷其他星球的生物體；不過生物學家 Edward O. Wilson 提出大膽的想像，他說外星人的體型比人類略大，彼此之間是靠聽覺與視覺溝通，他們的社會智商相當高，主要生活的範圍在陸地之上而不是水裏，並且人際之間具有道德觀念。E.O. Wilson 腦中所描繪的外星人，也僅是他個人的猜想，如果看到了外星訪客，不管是否像中國東北農民所說的「手指的尖端發出一道道刺眼的亮光」。發現的人還是移動腳步，閃遠一點為佳，而不是趨前恭迎，免得招來不必要的麻煩。

聲波武器

美國駐古巴大使館的數十名館員集體感到身體不適，至少有二十二人被告知的病症包括聽力的喪失、耳鳴、頭部疼痛和時常感到輕重不一的暈眩。

古巴的地理位置靠近美國的南端，或名之其後院，雖是近鄰卻非友善的芳鄰，有時還覺得是惡鄰，不時感受到對方帶來的威脅。數十年來不是美國的盟友，且讓山姆大叔感覺芒刺在背，成為獨裁主義偷襲美國的馬前卒，美國恨不得將其剿滅肅清，以免徒留禍患，拿自家的生命安全開玩笑。兩國好不容易破冰之後，卻發生此等怪事，國際間認為此事極不尋常，需要詳查到底。

武器並不一定都是有形有體肉眼可見的才算；奪人性命於無形，感覺不出它的存在才是最先進最厲害的。古巴人有無預謀讓美國的外交官員們集體罹病，可能性當然是有，不過指控他人還得要拿出證據，訴諸於國際社會方能令人心服口服。可是追查了一陣子，依然找不出傷人的武器為何，以及究竟是誰設下害人得病的陷阱。根據美國的國家衛生研究院神經疾病與衛生研究所人類運動控制部門的主管的說辭，這些人「集體歇斯底里」的可能性高於其他因素，換言之，這群人的神經系統功能出了狀況。所以病症不太可能是聲波武器所造成。醫生進一步說，這一族群病徵的發生，在「充滿敵意、令人焦慮緊張」的環境下最可能形塑而成，進而使人失去健康。

一切的機緣巧合，使得美國駐古巴的人員聽力受到損害。維基百科說聲波的武器就是利用揚聲器製造很大音量，致使敵人的聽覺、神經受傷或喪失生命。可見強大聲波就好像無形的子彈或炸藥般殺人於無形，不只能運用於戰場之上；諸如，遇到嫌犯之躲藏，想要逼使他就範，又在攻堅難以奏效的時候，便能派上用場。經過一段時日的調查發現，聽力受損的原因很可能跟「印度短尾蟋蟀」有關，這類昆蟲在求偶期會發出高頻率的聲響，聲音大得不可思議，開著大型卡車的司機都能聽見，足以使人心神躁煩、睡臥弗寧，範圍內的上班族自然頻頻受到干擾；不過，是否為傷人主因還待觀察中。

中南美洲的蟲子讓人困擾，無獨有偶地，美國駐廣州領事館有幾個辦事員也發生同樣的病情，在裏面辦公的人表示受到「異聲」的干擾，導致心神不寧、脈搏忽快忽慢，他們被送到美國賓州大學接受進一步檢測，雖然跟古巴的情況很相似卻一直找不出病因，中國北京方面表示這一切請勿任意猜測和指控，進而妄指北京對他國人士進行攻擊或使人罹病。微妙的是，為何事情發生在這兩個社會主義的國度之內，是否有人從中搞鬼，尚處進一步的瞭解階段，假如答案是肯定的話，這套「先聲奪人」的利器正可大大挑戰傳統的武力，而且用途多矣，決勝於千里之外，不費一兵一卒，取得良好的效果。

捉蜥獎金

大學教授為何會變成一隻殘暴而危害人類的超級蜥蜴呢？因為他的學術專長正好是研究人與其他動物間的混種基因，他自己缺少一隻臂膀，能彌補他殘肢的居然是蜥蜴的一部份身體。肢體如何再生，是目前生化界研發的一環，成功指日可待。不過以上情節尚屬科幻階段，電影《蜘蛛人》第三集的主軸亦如此，頗似早期的《蒼蠅人》故事發展，只是蜥蜴在日常生活裏，長的愈大隻的與牠受歡迎的程度正好相反。

一位台藝大畢業的陳姓女生，喜歡蜥蜴身上散發特殊的「厭世感」，把一隻尼羅河巨蜥從九十公分長養到一百五十公分長，還用特殊的材料製作蜥蜴的頭部，外形唯妙唯肖，令人讚嘆。可是現實生活裡，不見得這種爬蟲類會處處受人喜愛。因為牠會變大，食量亦然增加，失去愛心的主人眼見寵物的可愛程度下降，消費驟增，便會採取棄養政策，將其隨意拋置，牠也是隨處找尋食糧；農婦在菜田裏耕作時見到不免花容失色，頓時棄甲丟盔，奔逃回家，高呼恐龍再現。

捉到蜥蜴，便能獲致獎金增加收入，此舉頗具吸引力。一般而言，此類物種對於人的生活或農作確實產生了不輕的威脅，但是此種蜥蜴並非普通的蜥蜴，就像綠鬣蜥、沙蜥。幼年的綠鬣蜥模樣可愛，活脫像披上鎧甲的爬行類動物，頗獲熱愛畜養寵物者的青睞。捕獲蜥蜴的獎金從往年一隻三元，隨後還調整到五元甚至六元。在大環境經濟情勢不佳的狀況下，如果捕蜥可轉換為一項額外的津貼，利之所趨，不違法的情況下，一定有人想方設法去製造更多的這類爬蟲。

想起從前九龍江口外的一座大島，發生過嚴重的鼠疫。直至二十世紀快結束，島上的政府還獎勵民間撲滅老鼠，深怕怪病如撲滅不掉的野火，重新開始蔓延。軍方也配合當地的政策，通知每個營級單位，定期繳交一定數量的「鼠尾」給上級的衛勤單位，否則將會受罰。

無疑的，這樣的政令變相鼓勵暗中進行老鼠的培飼工作，失去滅鼠以除害的原始美意，飼養老鼠以提供老鼠的尾巴成為不可言說的祕密行業，有的單位因為不想去抓，或是已經難以逮獲任何鼠輩就透過管道進行購買；話說回來，如果老鼠真的在島上徹底的滅絕，從此便不會發生跟牠們有關的傳染病，應當可喜可賀，居民們該大肆慶祝一番。怎會反其道而行，為應付上級而使大眾陷入病毒的危害之中。

老鼠失去了尾巴難以續活，繳交鼠尾當時的初衷立足於此。狀似小型恐龍的大蜥蜴如果被逮便得全隻繳交，而且繳交者很快的，陸陸續續把九十七萬多元的獎勵金迅速提領完畢，對於撲滅外來種的害蟲居功厥偉，卻也有許多向隅者怨聲不斷。看來，獎勵的金額卻有追加之必要，當然也會發生，提撥出再多的錢也不夠花。

膚色更替

有些昆蟲，進入一個和牠自身顏色不同的環境，無論是戰戰兢兢抑或老神在在，其實就等於步入危險的領域，不管前輩是否傳達一種「螳螂捕蟬黃雀在後」的概念，天敵還是隨時會駕臨，待其被捕獲後，下一個動作就是遭到生吞活剝、咀嚼下肚，使牠恆久消失於地球上。所以，將身體的顏色與週遭渾然天成、合而為一，使敵軍不疑有他失卻敵我意識，繼而苟活於世上，繁衍下一代的生命，其實就是一種自我的保護。

這種俗稱的隱形身法，並沒有穿上所謂「隱形斗篷」，其法根本上還是受到了限制，也就是經由實驗不可能進入任一顏色的區域內，均可達成百分之百的偽裝效果，進而不被識破得以苟活，還要試圖反擊。而人類為何也想要易色，就不是一個單純的問題；因為常人生來就具備某一色種的皮膚，直至終老。如果一種新型的洗髮精或沐浴乳，使用過後，能使原來的黑皮膚徹底變白，變得活脫像一個白人，相信很多人尤其是黝黑膚質的人種趨之若鶩，爭相前往採購。這樣也引來黑人遭到歧視之說，既然有色的人種洗了這款沐浴乳就會蛻變成為零膚色的人，顯然黑皮膚的人跟其他膚色的人相比就是較為下等的人。

由於近年大量境外生來臺求學，校園內來自非洲、中南美洲的學生日益增多，較以往看到更多黑色皮膚的朋友。回想數百年前，非洲的黑人被捕捉然後以賤價販賣到拉美等地，去到那個人生地不熟之處，被迫無日無夜地辛苦工作，主人要他們去做什麼他們都得服從，若是稍有違抗，動輒鞭笞、酷刑招待，因為在莊園主人的眼中，黑人們並沒有身為一個人的基本權利，只能被當成低賤的奴隸來對待；既生而為奴隸，空有人的軀體，卻與一般動物毫無差異，主人把他們視為低等的愚蠢生物，動不動加以打罵凌虐，甚至取其生命，其命運甚且比流浪的動物還要悲涼，接受教育更是奢望。

已故的歌星麥可傑克森，身為非裔美國人，一則說法是他自小罹患皮膚病，長大後漸漸變成一種奇特外型的白色人種，另則說法就是他對於自己皮膚的顏色始終不太「滿意」，原本為深棕色的他為求躍升為上層人士，經過友人之推薦，透過化學物質的一番加持，果然洗淨鉛華成為另類的白色皮膚的歌舞明星。儘管看來有些怪，巨星依舊是巨星，不管他變得更黑還是更白，麥可傑克森所演出的歌藝還是堪稱一絕，令人目不轉睛。

意圖變白的人，掀起短暫的熱議，但是白人想要變黑呢，事情就沒那麼單純了，兩名美國奧克拉荷馬大學的白人學生在派對上將自己的臉部塗黑，裝扮成另一色系民族的人，校方獲悉之後表明要予以重罰，雖是自由開放得很的國度，這樣一搞，會有種族歧視之嫌，所以要警告、避免這股歪風。

要被懲處的人怎講，不知道，就說當時以為要玩生存遊戲，變色以求生罷了。

鞭臀之刑

教師們處在可對學生體罰的年代，最常見的是打手心，要打幾板和施力的程度，隨主罰者的意志決定，主罰者是絕對權威的，除非打出傷來，學生家長也很少異議，尤其是國民小學的學生而言，有些家長還會央求級任導師「若本人子弟不乖，就甭客氣」，儘管語氣有些惺惺作態，利用體罰糾正人類的惰性和不順從，當時確實大行其道，棒下出才子的觀念久久不衰。除了手心挨打之外，如罰站、罰跪、半蹲、繞著操場跑、青蛙跳不一而足，有的老師乾脆把他那愛吵鬧的班級叫到操場去進行軍事化的訓練，這位老師覺得應該有效，因為愈來愈有整體的紀律感才對，學生的秩序卻不見得變好，有些人看起來愈來愈調皮。

記得以前唸國民中學時，見識到體罰範圍的擴大，主罰者也能捶打學生，包括頭部，只要家長不會上告，事情不鬧大就行。另外，學生除了被打手心也被打屁股；每當上課鐘聲響起，每位任課的教師帶著書籍和講義進入他們應當上課教學的班級，人人手持一塊木板，就像古代上朝的臣子手裏拿著笏，有的還加上一根藤條。學生見到教師手中的罰具，不由得一陣寒意上心頭，可能是心憂成績也可能是其他因素。體罰風行的年代，除非受到嚴重的傷害，大家已司空見慣，難以塑造成引人矚目的新聞。

持板打擊學生臀部的主罰者，會事先提醒被打人「手不要過來喔」，痛楚之餘反射動作不外乎用手去護住臀部，有位善於打人的外國籍教師用他厚實的掌力來打屁股，也收到「不錯」的效果。這位外國人往昔在美加地區就是一名孔武有力的拳擊手，揍人的力道可想而知。

國外的鞭笞之刑則不必擔心受刑人有何阻擋動作，因為他的雙手事先遭到綁縛，在衣衫盡褪的情況下受到臀刑，但也不是每個犯法者都會挨打，受刑者的年齡和性別均受限制。國內有人看到新加坡及其周邊的國家保留鞭臀刑罰，覺得此風移入我國的法律之內，用來對付酒駕慣犯以及對於端正某些社會歪風劣俗可收嚇阻之功。不過反對聲浪還是壓過贊同者，覺得人的尊嚴因此遭到剝奪和傷害，那些是殖民者遺留下的劣俗敗風，與邁向文明世界的道路恰好背道而馳，拿著工具把人打到屁股開花血濺三步已侵奪基本人權，乃屬民主落後的象徵，時局已經進入二十一世紀，不能再有停滯於十九世紀前的思維。但是如何讓酒駕的人獲得跟「永誌不忘」同等效果的適度警惕，才不會繼續貪杯做出無異於殺害人命的行為，重罰之外，還要進一步的思考和謀畫。

邊界物語

北緯三十八度線這個名詞，所揭櫫的是兩個被強行隔開而顯出截然不同的生活制度。依照人類的天性，日子過得不甚如意的，難免會想往生活條件較佳的地方移動，企求生命的春天出現。

當金正恩牽著文在寅的手，準備越過板門店北方邊界時，不僅是南韓的安全人員們頗感吃驚，全世界也都嚇一大跳，這還是不按牌理出牌的一小步。南北韓的局勢時鬆時緊，教人難以捉摸，偶爾彼此放話，可能是恫嚇對方，也可能忽然間要進行某項合作彼此將行對談；或許美國提出的經濟制裁策略收到功效，金正恩決定要上談判桌，先派他的副手到華盛頓去送信，接著親自在新加坡和川普首先握手十二秒，再來談如何廢除核武的裝置，讓東亞緊繃的氣氛能夠略為緩解。不過，最鄰近邊界的陣前官兵想腳底抹油的還是不少。

南北韓雙方峰會之前，北韓一名長得像南韓明星玄武的吳姓士兵，2017 年 11 月的一天下午，突然駕車要衝過非軍事區停戰線，不過吉普車的車輪卡在水溝裡，他改用跑步越界，在他背後的同僚們看到大勢不妙向他開了四十多發子彈，其中至少五發擊中了他的身軀，他倒臥在一處牆邊動彈不得，幸運的並未因傷重「與神同行」而去，南韓三個士兵冒著被伏擊的危險匍匐前進才把他救回，送上直升機載到後方醫院搶救。

事發之後，惱怒的平壤把投誠士兵駐紮的連隊四十多人全數撤換，改駐他地。並且在三十八度線的北側加強栽種樹木，再行挖設大型壕溝，這些舉動無非是想盡策略阻擋第一線的官兵們萌生「不當」的念頭，意圖偷跑之時，增加其困難度。

南北韓之間是世界著名的邊界，沒有山水的分隔屏遮，兩邊武裝人員對面而立，卻依規不能開口說話，多年來也因「越界」問題，發生零星的衝突事件，最終雙方還能自我節制，並未釀成重大死傷。有意思的是，在我國的金馬前線地帶，也能看到一些戰車壕溝，挖掘這些壕溝的目的，當然不是讓我方的坦克部隊出不去，而是讓敵人跨海前來的戰車攻不進來，因為出入口僅有一個的情況下，危急之際將通行的便道或橋樑為之炸斷，至少能與敵軍對峙於一時。

同樣的壕溝意象，代表著不同的意涵，一個是不讓自家人有越線偷跑的策略，另一個在令敵人進攻時，人和人所操縱的機械都有更多的考量，深恐對方越界打擊我方而吃下敗仗。界線的存在，不只有生活制度上的差異，也可能就代表民主與非民主觀念的區隔，突破了界限，不見得要獲取什麼，甚至於要先付出一些代價。據媒體指出，早年從高雄醫學院醫科畢業的侯武忠醫師，放棄在都市區域任職獲取高薪的工作機會，回到澎湖家鄉工作，他發現偏遠而有人居住的四個小島缺乏醫療資源，剛開始他雇用船隻定期前往這些島中之島進行巡迴醫療，後來他乾脆自行購船並且考上駕駛船隻的證照，奔波於小島之間去診治鄉民的病情。

放下較為安逸的職場生涯，突破心靈的邊界，走出固定的場域，沒人強迫他這麼做，侯武忠走上一條別人不會想走的道路，對於偏鄉民眾來說，侯醫師就是天使的化身，他可能有點傻，但他默默行醫濟助了許多人，帶給民眾很大的便利。如今，離島民眾再也聽不到侯醫師問診的話語，這位天使自己因絕症回返了天界。

選戰經濟

民主國家免不了舉行公開的定期選舉，儘管方式不見得全然公正和公平，基本上已讓人感受到煞有其事地選出各個層級的公僕，每個選民可自行領取選票和在自由意志下投下神聖的一票，參選者也可讓他人在選票上圈選自己，是極權國家做不到的事。

投票選舉是政治學研究領域中重要的一環，既然是選舉，經過一番競爭就會出現席次上的當選和落選，正常的情況下沒人喜歡失敗的感覺，但是選舉就如作戰一般，終究要分出勝負，還是有候選人要落於榜外，只能期待下次再來參戰。職此，任何有助於上榜的招術都要派上用場。除了公開辯論的場子表現不能輸人，面對群眾的機會時言詞更要大膽犀利和聳動，才能博得媒體的版面，擴大宣傳的效果，鼓動一波波的風潮。好比南部一個直轄市的市長參選者所言「誰能創造十個工作機會，我當市長的親自給他握握手，百個工作機會我就給他一個擁抱，千個工作機會我就登門吻上他的臉」，言詞如此受到高度的注目，終獲大多數選民的青睞而高票當選；一個言論自由的社會，遇上政黨競爭的時節，免不了彼此高分貝的叫嚷，夾雜誇張甚至帶有爭議的言詞，爭取各方的好感，使得選舉氣氛更顯熱絡。同時，在海峽對岸磁吸效應發威的時刻，能在本地更加的創造就業機會，將不啻給予社會注入一股經濟活力。

利用言論來創造經濟實力值得讚揚，可是口惠之外，添贈民眾更多日常物品必定更受歡迎。投票前候選人使用的招數紛紛出籠，餽贈的種類更是五花八門，像是菜瓜布、口罩、玻璃水瓶、棉花棒、關廟麵條、小型塑膠撲滿、牙線棒、抓癢的棒子和色彩繽紛的講義夾，最常見的莫過於空白的筆記小冊，冊子的前後扉頁除了印製候選人的彩色玉照還有政見、學經歷和以往的政績，其次還有各種顏色的標籤式便利貼，無不窮盡各法加深選民的印象，但贈品也不能太過貴重，以免招來檢調的注意，感覺你在進行變相買票。如果候選人舉辦自我的宣傳大會，前來捧場的民眾更可品嘗到許多免費的食物，像是包子、香蕉等點心，甚至一頓午餐。而搭乘遊覽車前往造勢大會的民眾也能領到足堪充飢的便當和水果，想必很多人不會排斥。

對於候選人而言，贈送小禮給予民眾和小型的宴飲只不過是基本上的花費，其他像宣傳品的印製、大型看板的打造，還有布條、旗幟、標語的豎立，承包和專門製作這類物品的廠商以及餐飲業，著實因為選舉使得大小商號營業的業績從平淡甚至蕭條，逐漸活絡起來，縱然不會相關行業的都保證財源廣進，生意上至少能見到幾許的曙光。

選戰方殷，有位計程車司機抱怨著，認為「這哪裡像是在拚經濟，看來看去還不是在拚選舉」，計程車運將所憂心的是，政府沒把國家的經濟當作一回事，執政者的腦子裏只想如何延續政權在激烈的選戰中獲勝，以致於該黨候選人在選舉中雖然旗開得勝，接下來的日子卻不斷要提出各種振新方案，成效如何不禁讓人懷疑。或者說，看到拚經濟已經沒願景，該使勁的也失去動力了，倒不如拚選舉轉移一下大家的注意力。可是，許多行業因為選舉而忙碌起來，拚選舉又何嘗不是帶動經濟活動的一環!

吸睛政見

想要在壯麗山水客家縣城參選的縣議員黃女士，尋求連任的她在選舉公報的政見欄內填寫了「你說，我做」，大家覺得這是全國的候選人中所寫出最為簡明的政見，簡單扼要的說出平常一位公僕肩負的任務，與選民們真正付託的方法。看來巾幗不讓鬚眉，選民有什麼需求，身為民代義無反顧，不盡然要去赴湯蹈火，就是要向前行，好好努力去做；其實，如此的簡短表述早已「有跡可循」，因為她以前的一份出國考察報告，也只道出了一行話。而臺北市第六選區的市議員候選人李先生，在他的選舉公報政見欄中，展現的更加言簡意賅，短短的四個字「愛心事業」（中間還沒有逗號），把管理眾人之事內裝滿滿的愛，令人深深有感，為何如此有愛，原來他所屬的黨就是愛心黨。

選舉的政見字數不受限制，可以口頭的提出，也能用書面的方式公諸於世；要比短而有力的話，不如寫上「我愛你」、「愛大家」、「愛選民」、「愛鄉里」等等打動人心的字句，字數更加簡短也充滿感情。當然，不見得每個投票人都會仔細閱讀候選人的政見，落落長的不僅耗費時間還使眼睛疲累。不過中央選舉委員會還是規定全體的候選人要將他們的從政理念形諸文字，讓選民瞧見其理念與抱負，也好斟酌損益，做出投下神聖一票前的判斷。雖然這樣的判斷可能受到天花亂墜式的唬弄甚至欺瞞，畢竟文字躍然於紙上，它們不會隨意跑跳，這是參選者想法的呈現，也是當選之後受到監督的依憑，大家根據他選前所開的支票，對照一下是否遵守既有的承諾好好的去辦事，讓選區裏的人日子過得更好。

政見欄中的文字也不見得一概都用打字印刷，就像有位臺南地區的候選人便用手寫「還政於民、打造公民城市」，雖不能保證篤定當選，這樣的做法自然地會加深選民對他的印象，他自身所屬的政黨和執政者有所區隔，才會有光復該地的一套說法。最為特殊的還有政見欄內片字不留，標新立異的放入一張大鈔，卻不是我們日常慣用的鈔票，而是經由整形加工，將既有現鈔搖身變為高達新台幣壹萬元整之幣值，且交由財神銀行發行；足見其在市面上是不能流通的，也沒人敢收。在百姓們齊聲喊著要讓經濟起飛的時刻，單張鈔票的幣值被提升到這樣高超的境界，使用者攜帶著去購物應是更加方便，該向央行好好建議一下。

只要能夠達到宣傳的目的，再怎麼精實簡短的文句，都以打動人心為首要的目標。於是有驚人之語的出現，像「二十五歲未婚政府配婚」、「當選之後舉辦檳榔西施選美比賽」、「墓地成立夜市」等等，是否裨益人民，或有違法之虞，便拋諸腦後了，可能也搏君一粲。事實證明，政見極其短巧或為譁眾取寵，選票反映出來的支持度反而是不高的，可從當選的比例就能看出。話說回來，一位五連霸縣議員書寫政見時顯得一絲不苟，像他為了轉換跑道想當鎮長所寫的「建設新經濟、觀光新經濟、農業新經濟、樂齡新經濟、文化新經濟」五大項，終歸要把小鎮提升到縣轄市，捷運延伸到鄉間來；比起四個字、五個字的政見顯得具體而實在多了。

畫出自體

離島有所高中的一位生物老師，看著元旦四天連假期間，深怕學生在家閒得發慌，耽誤課業，正好這學期課程上到男女身體的構造，突然心血來潮有個發想，決定讓學生在美好的假期中，好好瞭解男女的身體器官，不要像有位姓楊的名作家（慣用其他筆名），到了六十幾歲才知女人沒有攝護腺。於是出個作業，拿出筆來不畫別的，而是畫出自己的生殖器官，當成一次平時作業繳予老師，在學期結束之前必須完成。

這位生物老師的構想看似新穎奇特，卻不是在教育界拔得頭籌的，據傳曩昔臺北市某所明星女子高中的老師即曾做過類似大膽的嘗試，所以這位離島高中的老師的作為，雖然令人佩服，卻是效顰之舉。有些比較內向的學生聽聞之後卻不太捧老師的場，對於老師下達的指令裹足不前，態度觀望遲遲不肯動筆；校長經由輾轉得知反對的聲音後，下令取消這種形式的作業。

從數十年前迴旋夢裡的女人最終一幕的反體制的告白，到蔚為風潮的寫真集陸續的問世，以及目前新竹公園流行的裸拍一族，普羅大眾在視覺上接收到身體外在的大膽展露，單純地即為「裸」的意識，認定他們只是少穿一點，勇敢地呈現自己的身體，告訴人間他們具備獨特的魅力，難以招架，是地球上不可被忽視的一群。平時我們在街上看到穿著衣物的人，除非刻意的遮掩，頭部是最易被看見的地方，接著是雙手，再者是雙足。如果上課的內容是自我身體的認識與了解，需要進一步的繪製圖形以加強記憶，為何不是針對自己的頭、臉或是腿、腳，而是挑中難得暴露在外的最隱私之處。可能是四肢及五官給人的印象太過稀鬆平常，只要攬鏡自照，自己臉龐上的條條紋路便清晰可見，至於手腳就更不用說了，連攬鏡自照法都可省去，直接望之一目瞭然，無需其他工具協助。目標既為人體秘境，屬於傳宗接代不可避免碰觸之處，似有必要仔細端詳並紀錄之。

有位大學的心理輔導員表示，此次主要的癥結在於「繳交」的方式，有的人不願讓他者看見自己隱密的部位，有可能因此在交出這份作業時而曝光，讓人瞧見器官的尺寸和形狀，如此便侵害個人的隱私權，帶來莫名的困擾也令人憤然。想起竹林七賢中的人痛快暢飲之後說天地為棟宇，屋室為褌衣，諸君何為入我褌中？跑進別人的衣褲之內，可能就冒犯了主人，讓他感覺渾身不自在。跑進一個人的屋舍，等於進入衣褲裏面，都還未有其他動作，主人即感不悅，可見他人衣褲最好不要亂入，以免橫生枝節、徒增糾紛。如果進入別人的衣褲空間之內，還要畫出裡面的「物件」，更是忌諱一件。

倘若上到這樣的課程，想要認識自我的身體，雖是畫自己不是畫別人，不過畫手畫腳怕流於俗氣，畫畫自己的臀部不知行不行，似乎一來也侵犯個人的隱私；那麼畫下自我的掌紋如何，卻也可能讓他人看到情感事業健康的線路走向，了解人生的來龍去脈，頗有洩露另類的「個資」之嫌；不妨試著畫畫自己的牙齒，要畫幾顆可以訂定；現在報考牙醫學系不就要先鑑別考生的美學基礎和能力。

誰來咬我

香奈兒的創意總監生前已指名他的愛貓為遺產的繼承者之一，身旁隨時都有保鑣、廚師、僕人和廚師侍奉著，承受高度禮遇，生活可謂奢華，貓的心裏怎麼想難得知，也不曉得牠會如何理財，不過大家看了新聞之後都羨慕得很，恨不得化身成那隻貓或那隻貓的親戚。

貓與狗為常見的寵物、玩伴，特別是狗兒，飼主往往更加賦予牠守衛疆土的神聖使命，而貓兒則略顯嬌貴；其實「疆土」的遼闊程度也有限，不外乎顧好自己的家園，有了狗兒的看門，好比聘僱一位無形的威猛戰士，雖然沒有配戴神槍利斧，然就憑其聲帶作用，也就產生一股嚇阻的力量，足以震撼圖謀不軌之徒於一定距離之外。狗兒的身軀不管大小，將之縛頸於門外，每當有外人靠近，利用高升的狂吠來宣示主權，提醒來客切莫越過雷池，做出非法的舉措。不過若是有繩索繫之，對於行經該宅者還算「安全」，最怕就是齒牙不只伶俐而且凌厲的猛犬，不但大聲吠叫，甚至做出撕咬的預備攻擊行為，莫不令行過該地的小生為之怕怕。

既妙且怪的是，派出犬隻的守衛，原本乃是保護主人住家的安全，但是對於尋常的來者或訪客卻會形成安全上的威脅，甚至使其受到傷害，況且是面對著肩負傳遞訊息任務的郵差們，以惡意迎接善意，更顯唐突和失禮。根據統計，平均每年郵差前往住宅送遞郵件，遭到咬傷的案件大約五百多起，這些還算登記在案的統計數字。郵政總局不忍同仁持續冒著被咬的危險服勤，於是訂定「惡犬條款」，意即飼主必須管好自家的狗，不能再傷及郵務士，否則停止派送郵件，或者請收件者至村里某處領取；儘管明訂如此，每年至少還有一百多起被追咬的情事發生。

郵政高層傳授的的教戰守則裏，遇到惡犬挑釁如何應變，包括手持網球拍或是護身短棒、投擲犬類愛吃的食物藉以拖延時間、穿著長靴厚襪等法，無奈還是有人還會遭遇惡犬追咬的可怕場景。似乎還未想到，拿著電擊棒把飛撲而來的犬隻予以電暈，就能達陣；只是萬一電力太強，不免有意外發生。

狗遇生人便想吠叫、追逐，像是一種生來的天性，就如四處撒尿，強調自己的生活領地，外來的動物若要借過、暫留，立即引發牠的躁動、不安，猶似侵犯了生存的空間。若遇焦躁的狗兒來襲，默然的保持肅立，牠的情緒也較為鎮定，緩和了作勢亂咬的狀況。屏東車城的一位農民於家宅內午睡卻遇上不速之客啃咬牠的頭部，害他趕緊就醫縫了十幾針；橫禍的製造者不是狗兒而是一隻獼猴，此猴在該區為害已久，恐因食物難覓，堂而皇之跑進屋宅並施暴於人，猴膽之大已經不是普通動物可比。

過往曾有酒駕者開車不慎衝入民宅，不但驚擾了屋主的美夢，也造成人員的傷亡；如今猴群的肆虐，除了農作物的損毀，也出現「人在家中臥，禍從天上來」的類似效果。政府大力補助電網的裝設，雖不能說效果有限，被電過的猴子還是會設法去破解，希望猴群看到人們所設的阻絕設施、聽到各種「炮仔聲」，能夠知難而退，這樣的思維和郵差執行公務遭遇惡犬時的心情差不多，不想被咬傷，除了心中暗自默禱衰事不要發生，還得更加添購有力的武器才行。

卷　二

驢變斑馬

驢子和斑馬是兩種截然不同的動物，前者替人類揹扛重物，後者雖為馬的一種，不過野性難馴，不易駕馭，難以成為人類之摯友良伴；兩者外型清楚可辨無從混淆。科學家們花了一百五十年的工夫，終於理解到，斑馬身上的「斑馬線」其實大有作用，至少可延緩馬蠅的識別能力，減少遭到叮咬的可能。

然而，把驢子的身體塗上深色的條紋，是否就能讓遊客認為牠就是一匹斑馬？中東地區一座動物園正遭受如此指控。無獨有偶地，中國河南省一座動物園也被檢舉將一隻西藏獒犬，梳裝打扮成非洲獅供人觀賞。

獒犬外型粗曠、體健毛長，確實像獅，但絕非獅，訓練之後可追賊抗盜，弭平犯罪。驢子與斑馬同為四腳動物，絕難誤認；就像從中國大陸漂流來臺灣各海岸染上非洲豬瘟的動物，到底是豬還是狗很快就能辨明。會把我們熟知的動物甲，經由巧妙的化妝術在其身上塗抹裝扮，繼而混充為動物乙，自認精湛的手法終究被輕易的被人識破。因為不同的東西就是不同，難以經由巧扮以掩人耳目，好比已調妥的化學實驗室內一杯溶液，經過層層分析、過濾和分離後，最後還是顯露出哪些是溶劑，哪種東西是溶質。不同的動物種類經過肉眼仔細判斷就更易露出馬腳，高明與拙劣的做法僅是一線之隔。

動物園裏展示遊走於陸海空的各類生物，愈是珍稀就愈能吸引大批的遊客前來觀賞，捉不到天上的飛龍或尼斯湖的水怪，那麼來自四川臥龍的貓熊便是吸睛的寵兒，定能吸引大批遊客前來。在地球暖化日益嚴重的情景下，居住在地球北端的北極熊們因為冰塊的融解必須時常搬家，加上食物的欠缺，逐漸面臨生活條件的窘迫；網傳一則故事，身形乾癟瘦弱，無力捕捉食物的北極熊，經由旁人的提點，若把自己的外型弄成與貓熊一樣的話，身價立刻上漲百倍，鹹魚當即翻身，想吃什麼都有。

笑話歸於笑話，成立動物園的目的多矣，其一就是讓人們看到平常難得一見的生物世界，造物者豐富了世上的生物種類，使地球並非只有人類所佔有，尚有其他不計其數動物的存在。毛色純白的北極熊，塗抹若干的色彩就成為中國特有的動物，若是此計可行，即成動物界一大變裝秀。為何找不到原裝貨展出，一來是經費的問題，再者是動物數量的大舉萎縮，不管是什麼熊，耗費鉅資也難尋不到幾隻用以招徠觀眾，何況是規模侷促預算有限的動物園。再者要視動物是否能夠適應居住的環境，像是從老祖宗開始就生活在極凍地帶的飛禽走獸，讓其後代來到溫帶甚至熱帶的動物園定居，就有可能發生水土不服等現象。

侏儸紀時代的恐龍與現代遊客遊園時四目相望，未來是否會發生尚難得知，若有，今人與古獸的相遇當會造成極大轟動。不過用充填的塑膠動物替代真實的動物展出，情況就顯得很不尋常，這些徵兆顯示某些展示條件的欠缺。中國廣西的一座動物園就出現一種引發議論的企鵝群，因為牠們並非真實的動物，而是塑膠材質製成的作品，其他的「生物」中還陳列出塑膠製的蝴蝶。在真實與虛假都能見到的動物展示空間，想必帶給遊園者格外特殊的感受。

尋找醜因

大陸湖南一名男子婚後育有一女，爸爸英俊媽媽美麗，按照常理推斷（至少男生的想法），所生產出來的女兒即使不是美若天仙，也應該不會難看得很。不過據他從女兒四、五歲時觀察，發現他的愛女有漸漸「變醜」的跡象，特別是嘴巴的地帶，形狀愈發奇怪，日子一久呈現魚嘴的現象就特別明顯。看到愛女逐漸有「魚面人」的現象，男子沒往其他的地方去想，他率先的念頭是這個日益變醜的女兒恐非自己所親生，倘若這條件成立的話，那就是自己的太太背著他在外面偷吃，他越想越不對勁，也越往壞處去鑽，就想用現代的科技來解答他心中的疑惑。

此種現代化的技術就是 DNA 的鑑定法，此法尚未問世的中國古代，遇到這種事首先倒楣的是婦女，她大概要前往衙門一趟，強迫著敘說姦情始末，說不定被各類酷刑嚴加逼供。不過經由現代的親子鑑定技術，反給了這名要求鑑定者一記當頭棒喝，結果是臉龐變型的女孩確實是此男的女兒；至於雙方長相差異甚大，是因這女孩的口內扁桃腺異常腫大，幾乎佔據了整個口腔四分之三左右，她必須要被盡快進行手術，不然也會危及正常呼吸。

有則腦筋急轉彎的問題，大意是說一對韓國夫婦，男的奇帥無比女的是全國選美前幾名，用郎才女貌、天造地設形容實不為過，可是為何她倆婚後產下的子女，相貌平庸到無法看出一丁點兒美，究竟何因所致？答案是這對帥男美女組合的夫妻檔，他們是靠著高明的整形術才讓人吸睛，上樑既非由自然美來傳送基因，下樑就承繼不了美的要素。韓劇裏美得不尋常的和比奶油小生更光嫩的要角們，其實許多都是整形外科醫師的刀下傑作，依靠人工手段成為炙手可熱的明星，沒人說是犯法，也沒人掛保證，美男子和美女的組合，所產下的愛的結晶，長大之後也是絕對很美的。

除非自己到醫療院所申請，否則沒人主動幫你進行親子的科學識別，看看兩者出現百分之多少吻合。古代的中國大陸就有滴血認親的事件。《後宮甄嬛傳》，到最後皇帝試圖了解宮內的新生兒們是否為「龍種」，使出的手段成為劇情的高潮，和甄嬛有染的會不會完蛋就讓人屏息凝神。話說回來，甄嬛身為皇帝寵愛的妃子，實際上所懷的若不是王爺的種，就是與宮中的太醫暗渡陳倉的結果；身為全國擁有最高權勢的人，反而是在快嚥氣之前才由背叛者告知這些消息，怒急攻心的狀態下，等於是加速其步向死亡之途。

戲劇終究是人所編造出來的，要有多催淚、義憤填膺、指桑罵槐的橋段，只要添加一些元素就行。現實生活中，孩子愈變愈醜，引發父親的疑慮，那愈變愈美的話，老爸又會怎想？拜現代染色體配對的科技所賜，懷疑自己小孩「恐非己出」的，很容易就獲取答案，縱然有些答案讓人懊惱甚且憤怒，不過就是些科學傳達的訊息。

住的風暴

除非是長期以公園、地下道為居的一群，或是效法飛禽之類，打算於樹上築巢度日，大部分的人都是居有定所的族群。每個人都有屬於自己的家，家是戰鬥的出發點也是疲憊身軀得以停歇的空間。

座落於學校之內的學生宿舍，使得遠道的的學生有個比在校外租屋還要便宜的選擇，也是吸引學生前來就讀的選項，讓他們在求學期間能有暫時性停駐的地方，特別是申請就學貸款的人，更是省錢的策略之一。幾乎每個學校的床位數量都是小於需求數，甚至比例懸殊。迫使想住在學校的學生就必須每個學期進行抽籤的儀式，運氣差的就只好花更多的錢在校外找地方居住。

有意願住在學校宿舍的人不外乎考量的是每個學期所繳交的「住」的金額低廉，而且宿舍離上課的教室比較近，通常聽到上課的鐘聲響起再走過去還不算太遲，特別是遇到愛遲到的老師更是自在，校園鐘聲形同於床頭的催人鈴聲；早年教育部希望大學能夠提供學生總數中相當比例的宿舍床位給予學生，特別是對於剛入學的新鮮人，但並非每所大學的「處境」都相同，首先就是土地的取得，因為有地才能蓋屋。

住過學生宿舍的人共同的回憶是，不僅提供臥床之地，也能讀書自習和摺紙飛機互射，室友們有空相聚時能閒聊家常，交換課餘的心得，卻也須排班輪值室內的清潔工作，住宿起居儼然另一家庭生活的翻版，告訴我們如何與自己家人之外的眾人相處。如果以空間大小而論，每個學校有所差異，每個房間居住的人數也有所不同，沒有人希望自己被分配到如擠沙丁魚的空間內，一來不但舉措受到了拘束，四處亦充斥奇怪的人體和物體的味道，據說我國的監牢已人滿為患，有的地方連睡覺之處都顯得狹隘，如果連寄宿的地方猶如監獄或看守所的擁擠，怎會是令人愉快的事。

每個大學對於住宿生的學期收費標準不一，原則上數千至二萬元新台幣之譜。至於居住的空間，把原本規畫好的兩人五坪，再行挪入兩人的裝設，一人可享的空間只有一點二五坪，學期應繳的費用還是一樣，如果居所位於國家公園的地域之內，除可欣賞如畫的美景，到了冬季至寒，大夥一面或吃或喝尋求克服寒冷之時，倚窗還能望見靄靄白雪。寸土寸金的首善之區，而且在限建的地段，四百二十個空位，籤運欠佳者只好在學期之初依照「吉屋出租」的廣告紙，尋覓心中屬意的居住地，比起學生宿舍也許更為寬廣更自由，自然就要付出更為昂貴的金額。一旦這棟可容四百二十個床位的宿舍被認定不得再行出租，便再也不能讓學生入住了。

據估計全國約有二十七萬個學生沒有學生宿舍可供入住，有的學校設下名額限制，有的學校甚至連宿舍都付之闕如，找尋鄰近的居住地便得碰運氣，除了房子本身具備的各樣條件是否令人滿意外，鄰居的友善度也是考量，不然就要忍氣吞聲一陣子再覓他巢。

陽明山上的實際案例，偶爾形塑出一種話題，選舉熱季一過，沒人去注意任何候選人跟這些房子、土地產生的瓜葛，一切雲淡風輕，這種話題已顯得多餘甚至無聊。房子內的地下室有無被違規使用，甚至整棟應不應該被用來充當學生宿舍，是市政府要去查明、處理的事；如果學生宿舍被判定不能讓學生來住，學校和學生也只能另謀他法，莘莘學子也只能找別的地方安頓。有土地才能起高樓，入學的學生人數隨著來年趨減的狀態下，原先教學使用的區域或教室，或許部分也能改裝成服務遠道而來的學生居住的處所。

鞋子甜點

野史上一則，清朝有位皇帝懲治收賄無度的貪官，從某官員家中搜出不少絕世的珍奇寶物，其中一項罕見的寶貝大家都猜不透它的的名稱和作用為何，送到皇帝面前，國君見後把玩再三，愛不釋手，只見其在闇黑處發出幽隱的綠光，又顯淡雅的清香，外型也很獨特，似乎用來盛接飲料或液體之物。不得已最終把這貪官的奴僕找來問話，看看這個珍寶是做什麼用的，不問還好，一問之下得到的答案，此物正是官員平日使用的溺器。皇帝聞後，驚怒之餘，下令了斷了貪官的性命。

只要是人，吞下的食物經由腹內遊走，最終不免形成排泄物；皇帝不爽的原因可能有幾點，總結是臣下如果奢華無度到了無以復加，帳目上難以釐清，不只是惹人眼紅，違法之處在君主時代很可能不必經過審判就會推出午門終結其一生了。想想盛接排泄物的東西，美觀到令人嘖嘖稱奇、不捨離身，那麼裝載食物的用具，自然更加設計的巧奪天工，美輪美奐到最高點，花費也至為鉅大，有失儉樸的風範。

正式的現代國宴上，精緻的巧克力和水果甜點於正餐享用後被端上飯桌，以供來訪的國賓享用，是再自然不過的事，亦合乎國際禮儀，想必能賓主盡歡，雙方都很愜意才是。

如果裝納飯後各類點心的器皿非碗非盤，也不是杯碟，而是把好吃的東西裝入一雙經由英國設計師精心雕塑的的金屬材質皮鞋之內，讓來訪的賓客夫妻享用，這兩位來者見狀，是否樂於接受廚師的巧思，歡喜地伸出筷子來挾取？新聞報導沒有寫出這對賓客看到鞋裝點心被侍者捧出放於眼前的神情態度，以及他們是否食用該道點心，只知消息一傳出，來自各地的負評不少，認為此菜顯然對於與會的上賓不夠尊重，應當給予告誡或適度的懲處。

到訪的貴客正是日本首相安倍晉三和夫人昭惠女士，從新聞照片看不出他們的情緒，因為並未述及是否品嘗了鞋內點心。以色列總理的專用廚師塞吉夫的這件自認深具創意之舉，引發日本境內民眾的反感，在不同季節以及不同場合穿在人們腳上的鞋子，地面是它的直接接觸點，一旦上了「檯面」，對於大和民族而言是卑微的象徵。

這位大廚或是飯局的設計者，其實可有更好的構思，就是把金屬材質的鞋子的整體外形，再行複製一次使之變換為可吞下肚子的食材，如麵包或糕點，食用者面對食物「全盤接收」，不必面對無法下嚥的冰冷鐵器；如此一來，賓客吃完食物再吃鞋子感受就不一樣了。

膽大妄爲

蕭瑟的風從地球的北端，越過難以數計的必行漫長之路來到一個孤島的上空，冷風吹得人感受出幾絲寒意，心頭的熱與天候的冷冽做出一番交纏。

路旁的幾株野樹的其中一棵，遠望光禿禿一片，近看，頂上的幾處還抽出綠色的新芽，這島的荒涼景色從一個外來者登島上岸，不免感受到過去身處過往為戰場的淡漠和寂靜之氣，只有幾隻野鳥從水道倏然飛起，讓人體會還有幾許盎然生氣。

騎著車子才會感覺到通往營部的道路是在上坡路段，除了偶爾捲起陣陣黃沙，兩旁不時聞嗅到牛舍的氣味。寬敞的營部廣場，適合出操上課之外，也適合訓話，排解一下長官的情緒。副營長在某日凝視了集合好的部隊半晌，雙手扶腰往前跨了幾步，說道：「你們真是膽大妄為，昨天你們應該於營區好好待命戍守，防範對岸的蠢動，還有人跑出去閒逛，還喝酒。」因為外島大家活動空間有限，休假時間幾乎都以小時計算，在半天的時光內有的人去商店看影帶，或是酌以小吃，少數人覺得為睡得不夠就留下補眠。

人食五穀雜糧。副營仔偶爾會有心情不佳的時刻，今日差不多就算如此。沒雜事要做的話，被營上的士官兵被要求進行「精神」訓話，是常有的事。這幾天又聽說參一科把他的什麼申請案退回。

文字學上，「妄」字，上為亡下為女字，被指不守倫理的行為。在軍中，沒長眼的亂惹事，輕者遭致訓斥一番，重者就得移送軍法，那時的軍法不是開玩笑的。

九龍江口的風，在凜冽的冬季裹捲攪上北方撲天蓋地而來的寒氣，臺灣本島沒一處比得上這裡的冷。儘管凍得直打哆嗦，面對長官訓勉都得打起精神正視，顯示出高度的服順精神。軍校理工科出身的副營長，本身極為崇尚並且效法高級長官的言行，絕非壞事，甚至應該嘉許他的作為。

為求展現深懷不凡洞見，在主支連的一次集會上，講到一半不知想到哪裏，益發興奮，突發驚人之語，「告訴你們，孫運璿這個人知道嗎？以他當年的聲望和地位，如果沒有腦部血管的病，影響到他未來的發展，那麼繼續為國家大政來操舵的人，應該就非他莫屬。」

言下之意他真就與中華民國的總統寶座錯身而過，行政院長亦非人生最後一個職位。此番高論說畢，大夥怔愣一下，互相探察左右反應，紛紛報以「臺灣即將有太空人登上月球」的欣喜之情，察覺出發言者的思維頗為高瞻和遠矚，平日負責打理和診治全師各種車輛毛病的黃副營長，面對基層部隊硬是發出一般政治學者所未有的高見，怎不教人打從內心底讚嘆好幾番，怎麼我們都沒想到。後來查看了新聞，李登輝被小蔣公開提名，和孫院長過於疲憊引發中風之日，還相差九日。

風還是吹著隊伍中每個人的臉上，帶來些許微涼和微痛。兵士們先有著胡思亂想，逐漸發展成妄為，身子大概被束縛久了，走出營門，或想小憩歌唱，或是飲酒解悶，倒無違反歷史研究法的謬思。

無影之砲

一定的空間內子彈亂飛，尚且令人懼怕，比子彈型體更為龐大威力更強的砲彈如果失控，慘烈情況更是不言自明，身首異處的可能性大為提高。話說時序進入七月的第一日，潑辣的烈日當空，海軍所屬某個艦隊下金字號的戰艦，艦上高姓中士不知何故，一時興起，在沒有士官長、軍官在旁監督，也無經艦長林少校許可之下，把雄風三型飛彈的操作程序開啟到「作戰模式」，也就是進入備戰狀態了；撳下按鈕之後，飛彈射出時，注定這將釀成一齣悲劇而無庸置疑，因為目標相中的不是敵船上的匪軍。果不其然，轟隆巨響，高科技的砲彈在自行尋找目標物時，追索到了離艦艇 1.9 海浬的一艘我國籍漁船，頓時飛彈穿越過作業中的漁船，炸彈的碎片造成船長身亡、三名船員受傷，船身則被捅出大洞，著實成了汪洋中的一艘動彈不得的破船。

闖禍的士官有無精神上的異常，概難得知，當然也可能神態恍惚或過於緊張所致。報載他在偵訊結束後，竟是面帶微笑離開，也可能是心頭壓力太大的表現。針對我國海軍建軍史上的這項「創舉」，國防部的高官們獲悉，紛紛向受害家屬表達歉意，海軍司令部也自行提供懲處名單，有的人確實受到了懲處因此而提前退伍。

事件當然教人既怒且悲，可是想想，飛彈擊中一艘中小型的漁船，據傳是因未爆炸，方僅造成一死，否則災情不堪設想，最糟的狀況可能四人同時掛掉，船身更加支離破碎。話說回來，被看出雄三不能徹底瓦解一艘漁船，是在這次事件讓軍方同樣警覺的事，雖然未爆之因，軍方說「撞擊係數不夠」所致；也就是光是撞擊木板只能穿透，激不起轟然燦麗的火花，卻也形同另種演習開展，讓人看清這種類型炸彈的真實威力。萬一兩軍在雲霧飄渺中對戰，匪軍部署舢舨大隊，船上放置草人若干和輕柔物品，說不定還可「擄獲」我方飛彈數枚，回去報功，並且做成後續戰情的研究。

誤傷平民的情況絕對要避免的，不然大家活著就更擔憂。不過在悲劇之後，雄三在近年的東京國際武器大展中，受到許多國家軍方人士的注意和探詢，可見其隱含的威力受到重視，政府高層也敦促其與天弓三型飛彈在民國 111 年能夠完成量產，期以嚇阻敵方。這次事件的後續查處是，高姓中士的過失造成其他兩人經由判決也有罪，如兵器長和射控士官長及高某，分別被求處一年多至兩年的徒刑；高中士這一次的揿鈕，凸顯炸彈本身的若干問題之外，其實也暴露武器操作流程上的若干盲點。話說回來，有朝一日面對海上的敵軍，反正涇渭分明，飛彈飛行的方向，朝前方就對了。

舉重若輕

盛夏展開的一場世界級運動賽事，由臺北市政府來主辦，來自全球 141 個國家的年輕運動選手前來同場較量，為規模僅次於奧運的大型賽會，臺灣難得承接如此規模的體育盛會，興奮中不免帶著緊張；在這場浩大的賽會裏，我國的郭姓舉重選手，以抓舉和挺舉共計 249 公斤的總合成績，「一舉」打破了世界紀錄，超越中國大陸選手十年前原有的舊紀錄。

消息傳來，舉國振奮。體育競賽的得獎，讓外交環境迭遇困頓的國家稍有揚眉吐氣的機會。想想在之前一年，也就是 105 年大學指考的國文科作文題目為「舉重若輕」，好像當時困惑了現場不少的考生，讓他們身處熱風炎炎的烤季中，兀自忍受這種難以下筆逐步書寫的折騰，剎時感覺手中的筆猶如千斤重，快要揮不動了。

以前的老師教我們寫作文要看清題目，才不致於把「水」看成了「木」，士、土不分，洋洋灑灑的辛苦湊滿一篇，到頭來閱卷官雖然忍痛，還是給了鴨蛋，蓋因文不對題；這是數十年前的案例。或是常打電玩，視力嚴重模糊者，英文作文時把「Dog」看成「Dos」，便不假思索地論起電腦程式演變帶給普羅的苦與樂。當然，當事人看到成績也不會太樂才對。

據大考中心的解題教師群說，「舉重若輕」對考生而言較為抽象，難度高，不易下手；補教界的潘老師說，叫十六、七歲的孩子寫出人生智慧和道理來，確實難度不小，不妨談談培養了何種能力和胸襟，以此角度向前推進會踏實一點。

從題目觀之，有一種人最為「踏實」，因為他可以舉起比他自個兒體重更龐然的重量，那就是舉重選手；一般人想要進入舉重界前，想想不是會被壓垮，就是練久了得內傷。但是許淑淨愈練愈覺得有趣，常常夢裏醒來還會持續練功，經年累月下來，抓舉和挺舉的總和是她體重的好幾倍。難怪她欲取世界金牌、銀牌如探囊取物，而且也沒出現藥檢的異常。對一件事抱著興趣去做，久了，原先的重也變得不重了，至少如此。

人鱷之際

「船兒划呀划，划呀划，看見鱷魚別忘了尖叫」，外國兒歌的歌詞，道出一般人對於鱷魚的懼畏；對鱷魚的形貌，最早應留存於一驅蚊廠牌的形象廣告上。鱷魚非一般魚類，模樣頗不討喜，不似惹人憐愛的居家寵物般，無顧忌的令人想摸就摸，想抱就抱。牠形似蜥蜴或壁虎的放大版，世代承傳厚實的鎧甲，疑似恐龍之後裔，行走時四足傳動，又喜棲水陸岸畔，平日閉目深思，猶如入定冥想的老僧，一旦張開血盆大口露出成排利牙便教人退壁三舍。

鱷魚是食肉動物，人肉的味道和氣息自然亦能令其垂涎。在澳洲曾有四名遊客進入捕捉鱷魚的籠子內戲耍而遭重罰，國外亦確實發生鱷魚咬人致死的事件，但是經由人類長期飼養的鱷魚，就不像野生的來的可怕。美國有位 65 歲的男子 Henney，為了對抗憂鬱症，特地認養了一隻鱷魚，經常把牠帶在身邊，認「具有情感支撐作用」，而且頗有療效，只是不知是否適用於同一類型的病患。

麻豆鱷魚王的那隻巨無霸，身長為一般人類的數倍，在牠即將移居大陸之前，主人特地找來獸醫師替牠健檢，發覺其口內有些牙齦瘤，須適時加以清除以維延年長壽。雖然平日與鱷魚之間關係甚佳，就在全臺唯一敢為鱷王除瘤的獸醫施行手術之時，主人也手持鐵棍斜置於該鱷口腔之中，並用言語安撫其躁動情緒，嚴加戒備，以防不測。

去除口內之瘤的動作讓鱷王還是痛得淚珠兒在眼眶內打轉，經歷一番折騰總算大功告成，人鱷皆安，足見人鱷的交情。

住在中美洲哥斯大黎加鄉間的男子奇托，發現一隻遭到獵人追逐而受傷的鱷魚，正苦無逃逸之路，於是善心大發，憐憫之餘對牠悉心照料一段時日後將其野放，沒想到牠翌日反而循著氣味回到奇托的家久久不肯離去，從此開啟二十載的情誼。這隻被命名為波丘的大鱷，比臺南的鱷王略小一點，每天跟奇托在水中玩得不亦樂乎，任憑主人把牠的鱷體翻來折去，都不會發出一絲怨言和不安。奇托曾對友人說：He only trust me.

東歐的貝爾格勒動物園裏的一隻鱷魚Muja已經是年至八旬的「鱷瑞」，每日除了與遊客相見，還殷殷期盼管理員拿著老鼠和雞肉來餵牠；不過人鱷相處傳為美談的事蹟並不常有，兩者如何溝通就是一個問題；詩人韓愈因佛骨之事，被唐憲宗貶官潮州後，看到鱷魚鑽來竄去讓人怕怕，當下寫篇「祭鱷魚文」，勒令這些醜類於一定時限內必須搬家，否則鱷首落地。沒想到這群潮州鱷魚比波丘更懂人語，深刻了解自己的處境，讓事情有了轉機。

鱷魚會攻擊人類乃為不爭的事實，只是看人類有無侵犯牠的領域與否；時至夏季，美國一對夫婦帶著二歲的寶貝兒子到佛州迪士尼樂園去玩，在禁入海灘區玩水的範圍內，稚兒被突出水面的短嘴鱷拖走，經過眾人陸空大力搜尋，終在隔日尋獲，卻已是一具冰冷而完整的遺體。鱷魚並未啃咬他，他是落水溺斃的。該地警長表示，短嘴鱷在當地數量非常多，但襲擊人類的情形確屬少見。

不知當地對於鱷魚肆虐，會祭出什麼辦法，因為並非每隻都溫馴到安全無虞可供領養，於此，不妨先學一下韓愈，寫篇祭文試試效果。

有力的藥

打開電視機或者收音機，販售健康食品、藥品的廣告不勝枚舉；有人說中國人愛吃藥，事實上身體有恙，拿藥來吃，無可厚非，吃了過量則有傷肝腎；可是有些人寧願相信「沒病可強身」如此說法，經由商業廣告的推波助瀾，一些藥品的銷售業績作得更好了。

有本講述民國初年的書，裏頭望似頗有篇幅，作者費了幾番功夫，訴說其所做的研究，在於探討 1912 年至 1916 年間，中國大陸的主要平面媒體上的「醫藥廣告」，藉此觀察上海地區的醫療文化和社會生活。這份被研究的媒體就是《申報》。據研究者稱他的研究動機是因該報在民國初年主要的行銷的地方是在上海，而上海是民初最大的商業城市，所以拿這份報紙來看上海的都市社會，可望瞭解中國在西方文化衝擊之下，社會所產生的變遷。

這當然可以成為一種學術研究，作者也早在 1988 年就發表過相關的期刊論文，相隔數十年後彙集成冊，即使不若體大思精，在旁羅廣蒐之後，亦深有感悟。從一些醫藥廣告確實可以瞭解社會文化的脈動，只不過藥品既然有些是來自於海外，必然也有出自於中土；從五口通商、拳亂，各強權覬覦中國的領土，西洋文化逐步地，一點一滴滲透進來，其中有好也有很糟糕的，像鴉片煙的販售，敗壞了國人的身心。

大約有了報紙就有廣告欄，刊載廣告需要付費給媒體，因為那算是支撐公司的營收之一；但是廣告一定不能任意的登載，應當是選擇其可以獲取利益的才為之，若不符合投資報酬率，廣告商很快便見風轉舵，也就是說產品一定要能高度切合大眾之所需，醫藥類的廣告告訴大家的是什麼藥品服用或塗抹，可速見其療效。

有病吃藥，是自然不過的事，但國人性喜服用各類藥品，希望達到強身延壽的效果，許多「偏方」的訊息，往往都是藉由媒體刊載的廣告，內容令人驚艷，好像有人在你面前鼓動如簧之舌，自然引人掏出荷包趕快購置。不只是百餘年前的醫藥廣告令人目不暇給，現在臺灣每天的報紙的醫藥廣告也是琳琅滿目，像是健骨、保眼、顧肝、護腎、消痔、瘦身、抗癬、除黴、止瀉、固胃、去腫和小孩轉大人的，五花八門，應有盡有。還有可令男人強健，房事持久的藥事廣告，自《申報》迄今，廣告的字眼愈顯聳動，就可體認到，買到的東西不僅要具備療效，還要強而有力的。

自毀裝置

自毀，就是自我的毀壞，像某些軍隊志願役的幹部，沒錢花用居然動起販售大麻的念頭，或是積欠大筆賭債，進而竊取機密去賣。被逮獲後自然列入汰除的行列；不過本文不是討論像這樣的事件。

道路上的軍車與民車發生行車糾紛時有所聞，不是什麼稀奇的事，甚至在海上，軍艦與民船之間的事故也非罕見，不過有些事件殊堪玩味。就如海軍官兵無端發射雄風三型飛彈擊毀本國漁船，造成傷亡的後續效應持續好一陣子，媒體與國防部的一段對話頗有新聞性。

「請問，飛彈本身是否具有自毀裝置，在發射出去後我方就能即時反應?」

「沒有，這飛彈本身並不具備自毀裝置。」國防部簡潔明快的答覆。

夫自毀者，望似兩種意涵，一則自動毀滅其原有之功能也，或者自己認為活著沒用，毫無樂趣可言，自行了卻餘生。情報人員的身分曝光被捕後，有的人選擇自盡避免遭受拷問，保全更多訊息，自我的了結等同顧及同僚和國家的安全；飛彈會有什麼功能？自然就是在發射後進一步摧毀敵人的裝備、陣地奪取他們人員的性命，使之無從繼續抗拒，無條件地投降。當這位值班的中士在面板上輸入座標，接著把訓練模式轉換為作戰模式的時候，就等於鎖定射程內的目標物，待啟動按鍵，彈體離架飛奔而出，片刻須臾，便向悲劇邁進了一大步，除非面對的那艘船是無人空船或廢船，否則難以倖免，傷害立即造成。這時再說「全艦的官兵聽到飛彈發射都嚇壞了」，清醒時為時已晚。

漁民在海上撈捕漁作，缺少正式且有力開戰的裝備，甚至手無寸鐵，與飛彈艦艇的武力基本上相對而言是不對等，兩者一旦開戰事實上一方可能處於挨打的狀態。電影《空軍一號》中的美軍戰鬥機奉令朝空軍一號發射飛彈，空軍一號不但會自動閃躲，尚能發射「誘餌」，引領飛彈追撞誘餌自行爆炸，而保全飛機的機身。當然那是商業電影摻入的噱頭，目的主要還在爭取票房。想想飛彈如果不能隨心所欲地想射就射，令其自毀就得迅速自我毀棄的話，該關注的事不待多說，不然自損的就是軍譽。

像是無人機的操作，臨空俯視大地萬象，可做許多用途，但是稍有不慎，不但機身損毀，也會殃及民宅甚至造成地面上人員的傷亡；不僅南韓，世界上許多國家正積極研發無人操控的飛行載具，甚且還要組織無人機群的部隊，徹底展現於許多用途之上，如果想自我毀滅的話，只要裝載炸彈去尋找目的物，也可成為同歸於盡的工具。

眞假之間

電視連續劇是演給人看的，娛樂效果居多，其情節通常不會是真實發生的，這是老幼皆知的事；應當說，即便是「多年前真實事件重新搬上螢幕」，大部份還不是真的，而是順應劇情發展添加，全然照實著去演可能就會讓觀劇者感覺步調鬆弛而沉悶不已，不是瞌睡就是想轉臺。不過有些內容看久了卻像勾住觀眾的魂魄，會令人深深著迷，猜想劇情未來的走向，忘了下一步生活要幹啥。

所謂演戲的是瘋子、看戲的是傻子，確有幾分道理。可是搬上檯面的既非真事，為何終教人沉醉著迷，日日守候於小螢幕之前，難以按下關閉之鍵。這牽涉到人的天性，特別是一些劇情極富張力，運作高潮迭起，壞事做盡者好運不斷，善良仁厚者卻屢遭險厄。為滿足觀賞者的好奇心，不斷續看的原因在於揣測惡徒最終是否會遭受報應，公理正義在編劇的安排下能否得以彰顯。

看得出不是每齣戲劇都存在「從此王子與公主過著幸福快樂日子」的結尾，好人未必樣樣皆可被人稱頌，壞蛋偶爾也有些善念，於是故事可以顯出曲折、離奇的層面；早年新聞局規範壞人至終必受懲治的論調也未必全然被奉行，因為可以塑造成同歸於盡或是死生未卜；無論如何，大抵一個連續劇就如同看武俠影片、打電動一般，結局是讓人殷切期盼。

曾經有齣收視率挺高的連續劇，正宮和小三同時住在一個屋簷下，用餐時也同在一張飯桌上，劇情塑造兩人為爭奪「正統」地位，不僅彼此經常公然針鋒相對、冷嘲熱諷，還以誰能先懷孕便能更加受寵；恰似古代宮廷內鬥的手法，現代的編劇將其應用到現代富豪的家裡，可想見，正宮本身較遲受孕或者難以懷孕，戲才有高潮起伏，不論日後逐漸祥和，還是家庭氣氛更顯衝突跌宕，觀劇者已經在無形中把自己鍛造成消磨歲月的傻子，至於劇情的邏輯性與否，實在不用太計較了。

不過說也奇，小三明明是男主角引進家裡同住，最後他卻告訴母親不能讓這小三成為婚姻的破壞者，小三腹中的骨肉也可以不要。無論矛盾與否，戲的呈現就是娛樂，可供人打發時間而已。隨著時代的演變，流行劇的劇情也與時俱進，不只是「孩子都非自己親生的、劇中很多人來頭不小、強凌弱的情節周而復始」才有看頭，更魔幻到被載到荒郊野林之外跌死而遭到掩埋之人，還能醒轉復活前來尋讎一報深仇，除了佩服編劇的能耐和功力之外，也說明現代戲劇的走向不在拘泥於制式的結局，想怎麼發展下去都可以的。

入顛倒屋

新的一年開展之際，於著名的華山大園區旁樹立起一棟與眾不同的怪屋以來，無論烈陽風雨，每日均有一長串的蜿蜒人龍，迫不及待進入參觀內部的擺設。打著從外太空墜落凡間的房舍的廣告術語，內部的所有陳列卻不受地球重力的磁吸效應，決定「走自己的路」，而且是原來的老路；居家用品紛紛遵循起始墜下的位置，外觀的屋頂直插入地表面後，裏面的動物們如何延續生活不是重點，顛倒之屋，要讓人感觸的是究竟誰才是正立。

外型再怎麼怪異奇特的房子，望似大幅傾斜，地板終究還是要平的，否則居住其內的人如何隨意四處走動順暢地作息、迅速的位移，這是建築學上的基本原則。在華山的這棟怪宅尚未完全建立起來的時候，同一城市內的市立科學教育館早已打著同樣的主題，對外展出倒立的船體的內部結構；不過華山園區的展場較大，凸顯家庭生活特色。只見牆上懸掛的照片人物都是倒立形像，看不出是來自那一個國家的人；裏面有部外型豪華的汽車，但是車庫缺少出入之門，只能停駐屋內，無法搭載主人出入遊玩，可見設計得不夠周全，需要另闢蹊徑，車子才能自由進出，當然不一定要走陸路，插上了滿滿的羽翼，飛天遨遊都行。

其他如飯桌、梳妝台、馬桶、澡缸、床舖，形狀都與尋常家庭的裝設沒有兩樣，惟獨觀者必須仰望這些高懸之物，拍照時還得避免碰撞，以維人、物兩安；場內也不完全以靜態的物品呈現，天花板上還有一隻類似花生米大小的黑色電動蜘蛛橫步地爬行，增添了幾許生趣，參觀者得要細心觀察一下，才知道蟲子的動向。日常的蜘蛛出現在房舍的各個角落，捕食比牠更小的昆蟲，此時此刻的蜘蛛所走的路線，就被侷限於「屋主」的地板上了。

顛倒之屋，顛覆了長期以來地球人被地心引力束縛以來的想法，究竟什麼是正？何者的方位為反呢？設計者的思維，可能當它是凌空而降，是外太空駕馭而臨或是失去控制，一路狂奔而來的產物；總之充滿了各種可能性和想像的空間。生活在重力場內的現代人，必須倒立或是飄浮，方能好好使用屋內的設施，否則那廢棄物豈不也到處飛揚，居住者必當苦不堪言。而待展期結束後，主辦單位可把顛倒屋翻轉過來，取個響亮的名號，像是顛倒屋的歸位紀，再展一次。

犬類末日

2018 年 6 月之前，眼鏡蛇還是公定的保育類動物，儘管牠會攻擊人類，對人身安全造成莫大威脅，我們還是不能恣意傷害牠，牠依然是個寶。臺灣獼猴的地位也差不多，前一陣子，聽聞獼猴肆虐，糟蹋了一位農婦的果園，婦人取來鞭炮想嚇嚇猴群，卻不慎把自己的手腳炸傷、眼睛炸瞎，只得裝上義眼，形同重度傷殘，卻無法向牠們求償，因為欠債的也不知怎麼賠，債權人只能眼巴巴地自認倒楣。猴兒任意摘取水果，邊吃邊丟，已讓農家的收成極大的損耗，最終還間接產生了傷人的禍端。

如眼鏡蛇這類動物，未被降等之前是法定需要受到保護的，獼猴則處在第二波的階段，即使非屬保育，還是不能隨意宰殺獵捕。而狗兒，大街小巷舉目可見，雖偶爾傳出傷人事件，還算是人類忠實的朋友，不但能找出藏毒、夾帶可疑豬肉的包裹，還能嗅出樹木中的黑色褐菌所在。儘管動保法當道仍不時傳出受虐事件，運勢更差的話恐被打暈，接著任人宰割後，送進了老饕的五臟廟，成為滋補人身的產品；越南河內市，近來苦勸居民勿食狗肉，主因卻非「彼為人類忠實朋友、愛護動物」等說辭，而是怕鉤端螺旋體的病症會大肆蔓延，這座擁有四十九萬隻貓狗的城市屆時面臨公共衛生的棘手課題。

人通常會活的比狗長，不過看不到主人身影的狗兒會懷念起主人往日的照拂，「忠犬小八」的故事就曾令人感懷不已，近日更傳出位於阿根廷的一隻名叫 Capitan 的德國牧羊犬，牠在主人過世後堅守墓地，時間長達十一年之久，比小八還忠心不貳，最後狗兒因癌症病逝；狗主永遠離開了人間，狗兒難以接收到悲哀的訊息，卻須臾不忍離去，好像等待主人有天仍然會前來觸摸和撫弄牠，其靈性可知。中國人重視吃，一見面就問候對方吃飽有無，有人對曰這一餐已吃，不過下一餐還未吃，對答看似玩笑，暴露出對於基本的民生需求。

著名的廣西玉林狗肉節，每年耗費數萬條狗兒的性命，赤條條的狗身彷若雞鴨的陳列，令人五味雜陳，自然而然引起衛道之士的關切與抗議，覺得太過血腥殘忍。人在吃了雞、鴨、鵝、魚、豬等動物之後，一定還想染指其他的牲畜，而且最好就地取材，尋找便利之物，沒被貼附於保育類三字的動生物則更佳，免得尚未果腹之前就惹來一身腥。

據動物學家指出，養狗的人在平均壽命上比毫無畜養寵物習慣的人要長一些，而且狗的智商要比貓高一點，因為狗的大腦皮質神經元有五億三千多萬個，貓兒只有二億五千萬左右，人類約有一百六十億個，人類比大多數動物要聰敏得多，但是狗兒表現也不俗，像牠們利用嗅覺就能在海關聞出哪邊藏菸藏毒的，成為緝私單位的犯罪剋星、制毒利器；不管如何，還是有饕客忍不住動牠們的歪腦筋，指使有的國家明令禁止，有的尚處於勸導階段。

有位自助旅行的女作家，抵達南韓後寄宿在善心人家，那戶人家的晚宴就以狗肉招待來自南方的貴客，他們沒思慮到兩地的飲食習慣和柔性受累會有這樣的差異，對於女客不食香肉的舉動感到不解且一再「勸進」，說「狗肉很好啊，為什麼不吃」，為求不失禮，也只好回說平常沒吃那種的習慣，只好吃些鍋邊肉。天寒地凍的國度，冬令進補食用犬肉形成一種習慣，總覺得那是好的，無所違逆於天地。除了南韓，北韓這個缺乏食物和資源的國家，狗肉也是填飽肚子和滋補的來源之一。將食用狗肉視為再自然不過的國度，對狗兒的生存而言還真是危邦，得要時時提防注意。

彎腰的筒

高中生要考大學的學科能力測驗國文科的作文題目，十多年來至少有三次跟天氣有關，像是雨季的故事、漂流木的獨白，都跟下雨甚至狂風暴雨有關，另外一個題目就是彎腰郵筒，郵筒外型有二色之分，依寄件者的快傳和慢到的意願，郵件於是像食物緩慢進入人體腹腔之中，滑入郵筒之內。郵務人員每日定時開腹取件，方能迅速送達收件者的手中。

每個鄉鎮都有不同的郵遞區號，彰化縣有個地方的郵遞區號為 520，隱約透露著愛情的密碼，該鎮的郵局計畫豎立一隻外型特別可投遞信件的郵筒，漆上粉紅的色彩，傳達充滿情感的訊息。平日大眾看到的，正常且屢見不鮮的郵筒應是筆直挺立，好比一個人在不受外力作用下，保持自然的昂首豎立的姿態。即使像 2018 年 5 月於綠島石朗浮潛區，外海水下十一點五米沙地擺設的豆丁海馬郵筒，也要擺得方方正正，潛水教練才能每天下海去收信，海象惡劣的時候也怕它會因此傾斜。

陸地上的郵筒會彎掉的說法是狂風來襲時打落附近的招牌，招牌掉落時不偏不倚擊中這兩只郵筒，呈現出同一方向的歪斜，異於尋常之物，便是物稀為貴，招來大批的國內外觀眾，希望不要將它們扶正，維持於特殊的狀態，引人注目，以利接續的觀光發展。郵筒既彎，卻也沒有喪失原來的功能，問一下郵筒附近大樓的守衛員，他說還是可以投信，郵務士依然每日按時前來取信；不乏有人提議將之修正，或者把它們移諸他處，可是到底要移置於何地，沒人能講出一個說服大眾的道理來，所以郵筒依舊停駐於原地，每日接受朝奉似的眼光，雖熱潮不復以往，仍不時有人前往與之合照留念。

郵筒之所以會彎腰是由於颱風的因素，也是因緣巧合，而招牌落下的力道恰好也使其彎身不令其斷裂。一年之中適量的落雨可救濟民生，讓大家有水可用，但是颱風帶來的不僅有大雨也夾帶暴風，所造成的往往是難以估算的損害，不料禍後福生，蘇迪勒颱風連帶促成兩個造型可愛的郵筒的誕生；有人還以此製作縮小版的紀念品。

兩個彎腰郵筒造成大眾的好奇，因為無形增添了一處可供生活遊憩和促膝談心的景點。無獨有偶，基隆一處公車候車亭，位於大幅度的轉彎之處，就在天候極差的一日，無法閃躲公車猛烈的撞擊也呈現歪斜的狀態，與彎腰郵筒一樣，吸引大批民眾前來合影留念，因為它不像彎腰郵筒具有富貴長壽之命，公車處的長官覺得實在礙眼，想搭車的人不知道要靠近還是遠離，便利性不復往昔，所以應該迅速恢復舊觀。會有愈來愈多的各型彎腰出現，維持一再風光的還是只有少數幾個。

經驗思考

高中生要考大學，以往在每年七月的考季裏舉行，考季又可稱為烤季，因為時菭溽暑，行走於考試的場區內外，烈日當頭，周遭溫度極高，全身像快要被蒸燙曬乾一般。在酷熱難當的天氣中振筆疾書的滋味，很多過來人必然點滴在心頭希望不會再有，就算考場之內配置冷熱空調，應該也不是多麼愉快的經驗。

現在還有兩種選擇方式，看是二月的學科能力測驗，還是七月的指定考試。既是大型的考試，免不了就要寫作文，作文還可分是用中國語文書寫還是以英文應答，照常理國文學科的作文就當以中文來寫，大考之前學校也都會舉行模擬考試，卻不知怎地，有位考生進入正式考試就偏以英語來書寫，引發「是否將其翻譯成中文」再行批閱的論戰，最後不得不屈服於多數的輿論而從嚴處理。

不過話說回來，當國文科的作文題目為「關於經驗的 N 種思考」，題目中就含括了英文字母；但就 N 字來論，有無其他可替代的中國文字而不損其原意，基本上來說應當是有的。N 字出現在數學中，代表一個未知的領域，當然也有眾多的意義，把它放在中文的句子中，是種巧妙的設計，然而這般的巧思，卻也會引發不小的爭議，為何 N 不用「多」以替代呢？當然 N

字也有「未明、難以詮釋」的意思，不像「多」字的明朗化，不將它做出清楚的介明，反而能有更大揮灑的空間，中英夾雜的題目在以前是少見的，其衍生的些許爭論直至考後一個多月還餘波盪漾。

維基百科對於「經驗」二字的定義為體驗或觀察某件事務之後，獲取心得並加以應用於後續作業。照理說，從你起床後到了晚間又要回歸床上之時，定然至少有一件日常習慣是不用太多思索會自動去做，而且不會發生太大的錯誤，像是愛打電動的，摸熟了竅門知道走哪一條路可以得高分；燕子飛離了巢穴，銜取食物回窩時，也沒有誰幫牠們打信號作指引，但是鳥兒還是能夠平安回家，餵養嗷嗷待哺的雛燕。

保險業務員做久了，聞得出客戶在那裏，或是跟什麼樣的人交談個幾分鐘後，業務員的心中大底就曉得能不能招攬到對方的生意，雖然偶爾判斷失卻了準頭，基本上差不了太多，這些都是經驗，沒有什麼規則，只是心中的體會。

如夢十七

國外有個八歲的男童，深夜因饑腸轆轆，於是「開車」載著他的兩歲小弟前往附近超市購買食物，正好遇上夜間巡邏員警，員警的關心便讓此事佔據了報紙版面一角；由於此事暴露出重重的危機，大人們一時的疏忽往往構成預料得到或難以想像的意外。

比起白晝，漆黑的深夜的景象通常更加教人未知和莫測，什麼事皆有可能發生，災禍還不知降臨到誰的身上。新北市一間便利超商深夜發生凶殺案，被砍的值班店員和砍人的嫌犯恰好都是十七歲的年輕人，被砍的人是為了生活家計，賺取課餘的工讀金；砍人的則早已輟學，不再進入校園參加考試。因為缺零花用，把注意力放在能否不勞而獲之上，長時間觀察超商動靜，發覺深夜輪值者偶爾僅存一人，於是乎歹念像植物的種子一樣地萌芽滋發，決意鋌而走險於一時。

身藏長刀入店威嚇，不料店員不願屈服，一個想搶劫一個不願給，兩人同時為錢財而捨身搏命，拉踞扭打之間，最後的結果是不想給錢的被死要錢的用預先藏在身後的長刀，把一隻手掌硬生生的跺得只剩一層薄皮連著，當然人也躺臥於血泊之中半昏過去，隨後而至的店長趕到，慌忙中緊急將他送醫。醫生說小命算保住了，斷手也大致縫合、銜接上了，不過手的功能能夠恢復到原先的六、七成就算不錯了，像是擰毛巾或是開瓶蓋等等「轉」的動作，還會有些困難，並要進行長時間的復建工作。

十七歲，該是才進入高中或高職就讀沒多久的年歲，從懵懂逐步踏上較為成熟的人生階段，坊間許多浪漫芬芳的書籍和電影、電視劇以「十七」為名，望名就讓人有純潔無瑕和天真浪漫的想像，如夢的年齡頂多同儕之間偶而出現的爭執，難得會跟嚴重暴力、剎那之間血濺四方呈現什麼樣的牽連。但是十七歲的嫌犯不僅搶劫也讓他的同齡人走向終身殘疾之人的路。

不像少年維特躲在愛情憂愁夢中持續編織他的計畫，也不像白先勇筆下十七歲的楊姓少年，設法逃避沉重的課業壓力，上演著年少的荒唐。搶嫌的犯案動機在於錢財的獲取，沒錢購買民生物資是他的煩惱，搶嫌出身不健全的家庭，他的犯罪行為讓沉悶的大眾挨了幾記悶棍，敲醒了已然麻木的社會。

聯合國規範十八歲以下的青少年在深夜，是不能單獨在一個空間中工作，就是為了保障未成年者的安全。法既已立，悲劇可能還會上演，只是不同的方式和主角。

不老護士

出生率下降的緣故，高齡人口的比率便隨之攀升，有遠見的人紛紛蓋起安養中心和養老院，以順應未來的賺錢潮流。安養機構中的照護主力除了一般的照顧服務員之外，便是我們在一般醫療機構同樣見到的護理人員。

歲月的流逝，人的外型不免有所改變，不過貼有小護士的 metholatum 上的模樣圖形怎麼看卻不會變老，圖樣的上半身望之仍然維持一貫年輕模樣。此類風行甚久的居家用藥，舉凡遭遇到一般不太嚴重的外傷、紅腫癢痛，用過的長輩好心的提醒我們可以先行塗抹這種類似 vaseline 的膠狀體，就這樣伴隨我們渡過了幾十年的光陰，儘管它的外型包裝經過了改良，內容成份和用途也有些調整，好比具有除痘功能的洗面乳，或是洗澡用的沐浴乳等等，外層的圖案都一若往昔，看到小護士便知是啥玩意兒，因為她彷彿吃了長生靈藥，塗抹上了不老霜(該不是擦上自家用藥)，微笑成了永遠的標章，看起來都是一名青春少女的模樣，不曾受到時間的干擾而變得蒼老。

韶光易逝，即使不想變老，沒有人躲得過年華老去的命運。當年具有迷人笑容的美國小童星秀蘭·鄧波兒(Shirley Temple)，模樣俏麗，受到製藥廠的青睞，指定由她「擔綱演出」，於是她便像其他的藝人，數十年來雖不見其出現在大小螢幕之上，偶爾亮相看起來卻沒什麼改變，彷彿整個人浸在「凍齡」的藥水中，歲月不會在他們的臉上留下任何痕跡，稚嫩的面容永遠成為產品的標注，始終被貼在藥品盒上。秀蘭·鄧波兒在 2014 年以 87 高齡過世，是首位獲得奧斯卡金像獎的童星，東方世界對她或許比較陌生。電影《午夜・巴黎》就出現一段對話，有個人說他自行開復古商店賣些雜貨日用品，另一個人的對白則答稱說店鋪裏面是否就賣些秀蘭·鄧波兒的玩意兒。

儘管坊間同型治理疾病的藥品何其普遍，許多人在使用習慣上早已取代了小護士的商品，不過望之小護士的圖樣，代表著傳統居家必備之物，也少有其他粧藥類保持一種固有圖形歷經數十年而不變，許多的瓶瓶罐罐貼上現代的女星照片，只是過了一段時日，後浪推著前浪走，模特兒已被看膩，新鮮感慢慢失去，「輪值」的機會就換到下一位美女，照片便會易人。

人終會變老，臉上添了皺紋，慢慢就會走向生命的終點，面速力達姆的廣告演員卻始終如一未曾換角，彷彿續活人間，生命的主宰者也對其一籌莫展。想起史蒂芬・金筆下《綠色奇蹟(Green Mile)》的退休法警和老鼠，獲得上天賜與的神力，雖然逐漸會老卻不知步入壽耆之年更不知死亡為何物，進入永生的狀態，那也是科幻作品中的臆想罷了；討論一種產品的真正名稱是否為面速力達姆、免梭蕩，還是其他的譯名，意義其實不大，因為看到了這罐，心中就知是永恆的小護士。

核廢何置

2018 的九合一大選之前，執政者說 2025 年，臺灣將可擺脫依賴核能，屆時台灣海峽旁將豎立數百座離岸風機，太陽能板將在各地屋頂、廠房廣泛建立，包括墓園。且能充分使用地熱來發電；非核家園的建立是一個遠大的夢想，除非不得已，才會動用到核電。

公投之後的結果，對於核電的使用上略作調整，無論如何，核能電廠是否要持續使用始終是見仁見智的問題，因為核電一旦開啟使用，隨之而來的就是面臨核能廢料的處理安置問題。有位直轄市長在參與總統選舉前曾說，如果核廢料的貯存問題得以克服，就支持核能電廠繼續營運；核廢料的處置有多麼燙手可見一般。

據臺大風險中心的調查顯示，將近四成五的民眾認為我國的主要發電方式為「核電」，其實不然，最主要的當為「燃煤」，次之為「燃氣」，核電方屬第三位；其他的還有再生能源、燃油、汽電共生和水力發電等等。當然，核能發電之所以深入人心，在於其十分經濟環保，這是許多國家到目前為止找不出可以取代這種發電方式的原因，雖然它一旦在設備上出了紕漏，付出的人命和財產、物質代價極為慘烈，愛恨之間還是要勉為其難的使用。但是核廢料不比普通的垃圾好處理，將其運用焚燒或加以填埋的方法就能了事，它不像酒精會自動揮發，就算再高明的魔術師也無法令其消失於人間，且因放射物殘留的緣故，它需要找尋一個可以長期存放，離人群遠點兒的場地。

就跟興建廢棄物的焚化爐一樣，大家都希望自家的垃圾能夠迅速的被處理掉，卻鮮有人盼望它就蓋在我家附近，如果每個人的「鄰避意識」如此強烈，那麼它應該出現在何地呢? 有人提出基隆近海的小島，宜蘭的龜山島以及澎湖和外島馬祖、東引甚至烏坵都應是「不錯的選擇」；消息傳出，立即引發這些縣市長的反彈，澎湖和馬祖的地方官異口同聲地「譴責」要把距離臺北較遠的離島變成「核廢」堆置場的想法；他們說自己的轄管地帶正想破頭如何發展觀光，如果出現一個核廢的集中地，豈不自斷觀光收益，所以高呼不行不行，一律加以否決。

不會憑空消失、毀滅、自我腐敗掉的東西，該把它放在何地，傷透決策者的腦筋；鑽入地心或是尋找外太空的某一星球堆放呢，顯然止於空想，因為成本太高，只能列入考慮的選項。不過現在又有人反映，核廢如果放置於直轄市地區，一來可減低民眾的疑懼，體察到那個東西其實放射劑量已經很低，可怕的程度沒有傳言那麼高，二來可鞏固民眾對於政府的信心和施政的魄力，當然這只是建議而已。

命終虎山

山林之間，景色雖怡，逛遊其間常引人流連忘返，卻往往藏隱著看不見的危險和是非，如果山園依傍著海湖，違法之士或是起了歹意的匪徒就更容易由陸地之邊遁走水線，逃逸他方國度，欲將其繩之以法只能憑靠運氣，否則只能眼睜睜看著他們消失於眼前。菲律賓南邊的激進伊斯蘭團體「阿布薩耶夫」，素以手段凶殘暴享大名於國際，專靠綁架人質勒贖鉅款苟活於世，在獲取大批贖款之後，持續購得龐大的武器和彈藥，繼續從事不良勾當，組織歷久不衰。

2006 年時在美國特種部隊協助下曾有機會勦滅當時 100 多人的不法組織，後因通訊裝備的問題而作罷。我國有位張姓女臺商在 2013 年在馬來西亞邦邦島渡假時，就被一個恐怖組織綁了 36 天，經由特殊管道和付清贖金之後才回得了國門。一些恐怖組織在捉人是不分國籍的，如果在一定時限內得不到金錢，肉票恐怕就會受到更深的傷害。

德國人 Jurgen Gustav Kantner 夫婦顯然沒有臺灣的張小姐來得幸運；夫妻倆搭乘 53 呎遊艇來到菲南海濱玩耍，不料被匪幫盯上成了甕中之鱉，再也插翅難飛。太太 Merz 先過世後，Jurgen 付不出約二千萬新台幣(三千萬披索)的贖身款項，就於叢林內被蒙面歹徒砍下頭顱，行刑前劊子手高呼「真主至大」，

Jurgen 遇害之前還有兩名身份不詳的加拿大人慘遭殺戮。

菲律賓南部有著潛水勝地，卻也隱含無邊的的險惡，來此遊憩形同一場冒險，運氣衰者終將遇上生命的劫難，除非他的政親屬或政府付出一筆款項，才能像張姓女臺商一樣脫困。妙的是，這位 Jurgen 先生，九年前還曾於公海遭到索馬利亞海盜的挾持，被關押了 52 天並付出大筆贖金後才得以重獲自由。不過他此生再也沒有下一趟的高度探險。

俗話說：智者險路勿進。太過凶險之地不只是不要貿然潛入，應當也不要太過靠近；Jurgen 經過一次生死教訓之後，事隔多年可能早已忘卻了前次的苦痛，或是嚮往於東方的美景，使他再一次踏入險境，掉進了老虎的嘴巴裏，幸運之神不再眷顧，遭到了吞噬喪命，成為中國古書《山海經》中的無頭戰神刑天的另種演繹；所謂「刑天舞干戚，猛志固常在」，Jurgen 如具猛志，該禱祝殺害他的凶嫌該早日被肅清剿滅。

自費繞月

現代人如遇閒暇，可從事許多遊憩活動，只要有錢有時間，可到離家很遠的處所去玩耍，但並不代表每個地方隨心所欲地想去就去。雖說我們想去的地方大致都能去，先決是經濟條件的充渥，卻也不見得心想事就成。藤子不二雄畫筆下的哆啦 A 夢，神通廣大得不得了，幫助他的主人大雄完成生活上許多不可能的任務，有次全體的小朋友聚集一起，每個人都要說出自己去過最遠和最為新奇的地方，當有人說出他曾經去過國內外任何地方時，未曾到訪過該地者只能發出欽羨般的浩嘆，但是有人說他曾經去過月球，便被他人斥為無稽，覺得牛皮吹大了。

古代的人看見月球，可是根本上不去，只能站在地球上望月興嘆，看著它每天掛在天際，形狀都在變化，稍具浪漫情懷的文人，寫下一些吟詠詩句和神話故事以傳世不輟，直到人類真正踏上了這個星球的地面，發覺比原來的想像要單調多了，生活條件上目前也不允許有人類定居於此，遑論絕代美女。不過現代人對於月球還不免有幾許崇拜和懷想，中國大陸四川有座大城，當局構想出在城市的上空設計一個像月亮般的大型燈具，用來照亮全城的街道，晚間出門也不會耗費照明的能源，是否可行，便不得而知。

太空人進入外太空的世界去探險，完成古人冀求的願望，順理成章，這乃是他們的本業。時代的演進，還是向錢看的範疇被擴大了，居然有人想出讓非太空專業人士也能搭上太空載具的可能，想坐上太空船的人，身體的機能都要事先檢測一番，看看能否負荷得了有異於地球的大氣條件，接著繳付一筆數目可觀的款項，再經由專業人士的培訓與考核，方能一圓太空之旅的夢想。美國維珍銀河公司的太空船二號團結號，就是專門幫大家去圓商業太空之夢的工具，一次無重力飛行的票價就要二十五萬美元，一次可飆升距離地表八十二公里處；至於繞月的行動，費用當就更鉅。

有能力發展太空計畫的國家如美國、日本、中國大陸和印度等國，每年都編列大筆預算要派出太空船去瞭解月球，因為比起其他不知要走多少光年才能達的星球，或是熱情如火到人類難以接近的太陽而言，月球的表現是既溫和又能讓人親近。不過縱使在地球舉目即可見到月球，想來個登月之旅也是先進國家的太空人才成。

既可繞月，將來其他的星球去繞行一圈自然也深具可行性，這些地方會更加遙遠和更具風險；不過這樣的願望也只能讓少數的社會富豪來完成，即使無法親腳踩上星球的表面泥土，用手去撫觸星球的塵土或任何物體，或是繞著它飛一飛，過癮一下也行。

科技之奴

紐約大學的教授 Neil Postman 在他的 *The Surrender of Culture to Technology* 書中，覺得在二十世紀之後，醫學步上了幾乎完全依賴技術的道路，尤其是發現抗生素以後，這些現象尤最；也就是過去醫生主要透過詢問和觀察，方為診斷的基礎，現在則是以醫療設備為重，倚賴各種儀器固然易於找出病灶，醫生跟病人卻也越來越疏離了。

記得一位物理系的教授在課堂上講過，醫生宛如一部電腦，當病人述說自己的症狀給醫生瞭解，行醫之人迅速把這些毛病輸入自己已被訓練有素的大腦中(所以有人說醫生是訓練有素的狗)，看他的症狀符合何類疾病所具之條件，便該做啥治療，服用什麼樣的藥物，做何種常規檢測，總之醫生猶如電腦，電腦即可治癒人的疾病。

台灣的科技教父說 AI 的興起之後，首先被取代的是醫生；不料卻遭到眾人的「打臉」，認為聽取病患訴苦、還要迅速作出判斷的行業，一時之間還不會被他者所取代。不過想想當機器人有朝一日穿上白袍來為生病的人類看病，該是何等景象。人類始終企圖透過科技過更便利的日子，於是發明了許多高科技的產物，可是一旦人與人工智能的程式對戰時，人類反而屈居下風，南韓的第一高手在 2016 年 3 月跟人工智慧圍棋對弈，便以四比一嘗到敗績，隔年中國的世界棋王柯潔面對人類發明出來的下棋工具同樣也敗得很慘。

AI 能否完全取代醫生的工作尚未可知，不過使用機器人來開刀比起傳統的人力要更加精準，因為人的手會抖動、疲憊，機器則否，使得外科手術成功率提高，更快找出病灶點。人發明了電腦和機器人，未來人類的生活更是要與 AI 緊緊相依。科技電影裏那種真人與假人難以區分開來，進而讓真人陷入生存的危機，愈發不是危言聳聽，因為機器人已經學會組合文字，寫出一首文情並茂的現代詩；機器人甚至表達出想要組織一個家庭的渴望；當我們看到《人造意識》裏真實人類被機械組裝的人形耍得團團轉，還能進一步加以禁錮和束縛，甚且施以毒手的景象時，如此會不會變成該憂心的事？

智慧機車

西歐和北歐某些國家宣稱，再過幾年就要停售汽柴油運行的車輛，推動全面電動化似乎是未來的趨勢，儘管電動車有著爬坡力道較弱的缺點；放眼某些國家，想要全面推行車輛採行充電式，恐將還有一段很長的磨合期。對於大多數現階段的家庭來說，廣泛且頗為實用的交通工具不是汽車就是機車，自行車的使用人數乃屬少眾。

與汽車相比較，騎乘雙輪的機車被視為危險的舉動，以軍隊為例，亦將不可任意騎乘機動車輛視為一項重要文宣，因為車體僅有兩個輪子，行進間的穩定性一定不如三輪的，更比不上四輪的汽車，假若汽車是鐵包肉的發明，摩托車就是肉包鐵的運輸工具，運氣欠佳的時候容易摔車犁田，即使安全帽護得了頭部，四肢只能自求多福。

有的汽車裝上了感應裝置，倒車時車身與車後的物體相隔幾公分時就會發出嗶嗶的警示聲音，車輛前進時也提醒駕車者注意車與車之間的距離，有些警示的聲音就類似搭乘捷運每每到達某站或離開某站時的開關門警示音。現在裝在雙輪機車上的裝置可偵測鄰近來車，當車輛接近我方一定距離時會發出警告訊息，使駕駛人能夠適時減緩前進速度或是改變方向，避免雙方車輛撞擊事件發生，尤其是在上下坡的路段，或是存在視線死角的地方，均容易發生事禍，其實很多事故事先可以避免，無奈乎駕駛人的疏漏、恍神或是雙方車速實在太快，彼此覺得對方應該禮讓我方才對，有些車輛的碰撞就由此而生。感應裝置的設立就好比中小學的學生穿越馬路時，有志工或導護人員從旁協助一樣，只是由人力的維持安全轉變為機械裝置的警示。

裝上警示裝置固然可以提醒雙方用路人注意路況，但是遇上了塞車大家都沒轍，現在有人把腦筋動到直升機上，國外就有人把直升機當成私人計程車來招攬生意，當然搭乘的花費不低。或是乾脆把自小客車改裝為插上雙翼的飛天汽車，屆時所謂的空中警察，又有忙碌的任務。

更先進的路上科技，是一種行駛中不會倒下的機車，加上駕駛者配戴特殊的護目鏡，可告知周圍的路況，盡可能減少事故的發生，對於以機車代步者不啻一大福音，只是價格不斐。餘此，還有一種號稱閃電頭盔的智慧安全帽問世，可把附近的路況透過語音系統回報，也能通知駕駛人何處有測速照相，讓您適時的減速，減少收到違規罰單的機會；飛天的汽車固然省去大量等候的時間，戴上了閃電頭盔不但帥氣十足，更能減少不必要的額外開銷。

裸體皇帝

據報導，有人騎車，在後座載個女人，這本是稀鬆平常的事，誰想載誰出遊，只要雙方同意即可；怪異的是，所載之人為光溜溜的裸女，但無衣蔽體的她並非真實的血肉之軀，而是一具道地的充氣娃娃；頓時在網路上引發廣泛的討論，不過騎士確實沒犯什麼法。臺南玉井有位機車騎士悠然騎行於馬路上，也引起旁人的側目，別人注意的不是他沒戴安全帽，這種情景照樣稀鬆平常，特別是在非都會地帶，戴上一頂帽子來保護自身安全有些人嫌太麻煩。別人感到好奇的是，他騎車時一絲不掛的勇氣從何而來。

凡人出生自母體，與其他哺乳類相仿，來到世界上呈現一絲不掛，自己也不可能尋找衣物來裹身，是旁人不忍嬰兒挨寒受凍，染上疾病，才為其穿上衣物。至於身故之後，也是同樣的道理，來到這個世界跟離開人間都不會攜帶任何財寶。「國王的新衣」這樣的故事會不會在二十世紀以後的世界出現? 設定這個問題的可能性應先假設國家的掌權者甘為騙子擺佈，也不願承認自己的昏聵，終於演化成歐洲童話中的笑料。

想到了「裸」，不免想到天體營，國內曾被發現類似組織活躍於海邊，與警方玩起捉迷藏，被認為合法性大有問題；而國王的新衣的另種詮釋是有位性犯罪的通緝犯，面對警方前來拘捕，自稱只要念隱身咒就能讓對方看不到他，結果依然破功，難以逃脫鋃鐺入獄的命運。他說是警察唐突進門時打斷他的持咒所致，不然他將隱身而入無色無味的空氣之中，不致落入法網之內。不過宗教界確實有讓人隱身的咒語，就是摩利支天菩薩真言，此菩薩具三面、三目、八臂之法相，端坐或站立於蓮花座上。

在美國，有位妙齡女郎開著車子前往「得來速」購買速食，收銀員看著她出神，因為她僅遮住了三點，不過還算有穿，至少不是全然光溜溜的。在無神的國度內，毛澤東生前招攬了許多的女伴，過著帝王般的享樂生活，有個粟裕大將親信部屬的女兒叫做陳露文，經常自於毛的內室和書房間裸體行走兼伴讀，文革期間雖至遠地接受勞動改造，二進宮後仍得毛的寵愛，毛澤東給了她四個名份，一是女兒，二謂情人，三叫文藝秘書，第四為大內裸身行走；最末的稱號就能夠瞭解這個尤物如何深得毛的歡心以及毛的淫靡生活。

毛與其他延安的領導班底，經歷過西安事變獲得大大的喘息，他們要建立的是一個強調共產的家國，但是他自己過的資本主義式的生活，甚且走向帝王類型的淫靡，背離黨的主張和多數黨員的初衷，但是沒人管得了他，只有他能決定別人的生死，所以就一直這樣情況之下迄乎崩殂。

毛亡之後，中共政權依然存在也沒有隨之潰散瓦解；裸露的風尚還存在各地，就像華人社會裏出現了一種裸拍族，他們攻入大眾運輸車輛的車廂內、著名的風景名勝地，以衣不蔽體或全然裸裎的方式展現自然的身軀，認為是藝術呈現的一環，鼓起勇氣為青春留下註記，無懼於有關單位對其過度暴露罪名的指控，繼續與執法者玩捉迷藏。

鱷口餘生

動物的嘴巴能夠大到容納人類的頭部進入應該不多，能讓整個人的身軀進入大嘴的情況就更希罕了，巨大的蟒蛇就是一例。澳大利亞昆士蘭省的一名男性泳客，在遊人如織的蜥蜴島附近，悠然自得的游泳時，忽地鑽入一隻身長兩公尺動物張開的血盆大口之內，那隻動物不是大蟒亦非恐龍，而是一隻大鱷魚，這鱷魚應該就類似臺南鱷魚大王養的那隻招牌鱷一般。

幸運的是泳客得以脫身，僅受非致命的幾處外部皮膚擦傷，新聞報導寫得頗妙，說「野生動物管理人員正前往此處，尋找該為此事負責的鱷魚」。為什麼鱷魚要為這件事負責，不就是人類自己靠近大型肉食性動物，動物見獵物送上門來，直接的反應就是吃下到口的肥肉，就跟海洋世界去餵食表演的海豚、海獅一樣，動物們看到人類送來犒賞的食物，自動去迎取並加以咀嚼一番。

這名泳客得以從鱷魚的嘴裹僥倖免脫，不會成為鱷魚的點心，算得上十分幸運，回去除了吃豬腳麵線壓驚，也要慶幸自己幸虧遇到的是反應頗為遲鈍和不太貪嘴的大鱷，不像有的在野生動物公園的鱷魚聞到一絲的肉味，就會趨前想要啃食。也可能大鱷剛剛吃飽。

同樣遇鱷的境遇，住在巴西的一位農民就沒此幸運了，他在河岸邊洗澡，神不知鬼不覺地被鱷魚帶走得無影無蹤，心急如焚的家人在無計可施的情況下，只好求助當地的巫師，巫師在一陣登壇作法後，幾日之後沒想到鱷魚居然拖著該位農民的屍身回歸原地，眾人檢視遺體發覺完好無缺，沒有遭到啃咬的跡象，研判純粹是不慎落水窒息，當局呼籲不要在河邊沐浴，防杜生命的威脅多一樁。不只在中南美洲，河邊遇鱷而消失的事件層出不窮，其他的地方也時有耳聞，最後在捕獲的鱷魚凶手的腹中尋獲失蹤者的肢體。

每個人有權擁有自己喜愛的寵物，條件式要能養得起。可是自家畜養的寵物如為一隻鱷魚，而且一經走失的話，不但飼主自己著急，恐怕周圈數公里的居住者的情緒也跟著起伏不安，尤其是大人擔憂小孩出門在外會受到傷害，此事由南投水里鄉一位飼養「眼鏡凱門鱷」的民眾一時失察所引發，他的寵物鱷魚現今長約五十公分，根據經驗長大後的長度最大可至 2.5 公尺，成為龐然大物的鱷魚；不知牠的主人會將之挪移到什麼樣的空間，或是捐給展覽場所，當務之急就是要找到牠還要加以處置。

鱷魚如未重返主人的家，就好比一隻帶著毒牙的壯蛇，晝伏夜出神出鬼沒，頗有傷人之虞；像國外有隻經常在河畔遊走的鱷魚，把不慎誤入該區的婦人咬死之後，卻也連累了近三百隻的同類；因為憤怒的當地村民把河中的鱷魚們隻隻撈出痛宰、了結牠們的一生，這種「寧可錯殺，不可漏殺」的瘋狂撲殺作為引發警方的制止。面對鱷群出沒之地，當駕馭不了這種動物的動向時，最好還是敬而遠之。

森林冶遊

一對年輕的男女朋友在無嚮導員的協助下意圖攀登喜馬拉雅山群，惡劣的天候加上路途的迷困，迫使他們停駐於山崖洞穴內數十天，他們想要征服大自然，無奈大自然對他倆大肆反撲，終於造成陰陽兩隔的結局，死者已矣，幸運的生還者還要回臺療傷一段時間。

1971 年三位大學生攀登大霸尖山杳無人蹤的事件，動員上千人次最後找到插在地上三雙筷子，他們是被巨人追逐怪物糾纏以致迷失方向了嗎？事隔幾十年還是揣測不斷，答案宛如藏在山間濃到化不開的一團雲霧，眾生始終理不清一個頭緒。

冰封的深山叢林潛藏著看不見的危機，無論心懷善念或惡念的人，面對這樣的地形和天候心中同樣感到畏懼，不過巔峰戰士卻還是有意排除困難，爬到最高點，創下紀錄。電影中壞蛋們想找尋裝滿鈔票而散落在山谷的皮箱，用槍抵著熟悉山路的嚮導幫忙開路找錢，正義的嚮導就帶著他們兜圈，情節緊張卻令人發噱；山林和大雪成為贓物的遮蔽區，讓動機不良的兇嫌不會輕易得逞。各種大小山難事件層出不窮且悲痛深烙人心，卻也不會澆熄持續走訪、征服崇山峻嶺的熱望雄心。不過這些經過多少萬年的地殼變化而隆起的大山，豈也會畏懼於凡人前往一窺究竟？而探訪山林的人若退一步想，不要被創下什麼紀錄的話所誘惑，能夠時常親近森林的話，自然充分感受到對於身心的健康的好處。

日本的森林研究學者提出如果讓受過訓練的專業人士，使用特定的森林設施來從事活動，可以促進人類的身心靈的健康。森林的整體環境大抵由樹木和其他大小不一的植物，和動物、昆蟲所構成，在無外界干擾的情況下，森林總是靜謐或呈現出和諧的音律，從事森林活動的人不僅可以平衡內分泌系統，也可促進免疫系統活性，進一步預防癌症，對抗頑強的宿疾。利用森林達到自我保健的效果，是種既傳統又新鮮的療法。

迪士尼電影《與森林共舞》，講的是一名狼小孩毛克利住在山林中的故事，在那個地方各種動物與他成為好友，或是家屬，在森林地區他根本不用擔心會發生山難，較為憂慮的是洪汛或是乾旱以及一隻望之不善的疤面虎對他的虎視眈眈，一心想把毛克利幹掉；電影裏總會出現正反兩派人物的對峙才會引人入勝，片中的許多動物也會說人話，觀影者感受到動物世界的溫馨，雖然也有互看不爽的局面，整體來說看完之後還讓人有移居森林的衝動。

愛情 VS.錢

「錢似乎非常好用」，這是以前教歐洲文化史的一位老師在課堂上講的話，此人家境富裕，他爸以前還出來選縣長，只不過鎩羽而歸。當然錢不可能不好用，更不會沒人愛，因為有線電視頻道上告訴大家如何發財的投資分析師們不是叫大家跟著他買就對，就是分析得讓人眼花撩亂，而且坊間理財、玩股票的書也陳列一堆，有的還能登上暢銷書的排行榜。

除了自己種田自行食用者、自行採桑織布者和嚴重的離群索居外，錢對絕大部分的人是重要的。而想嫁入豪門的女人亦多矣，但是否每個都能串出「從此與王子過著幸福快樂的日子」，結果都很難講；有位知名藝人鮑小姐是七 O 年代美得不得了的明星，不但歌唱得好，戲也演的挺不錯，後來如願嫁入豪富之家，不料卻是走入一場惡夢之中，雙方因為價值觀越來越分歧，終於緣份告盡，各自走上陽關道和獨木橋的路，還有家暴的戲目登場。不過事情還未完全結束，因為她把女兒的監護權給了前夫，然而前夫卻遷往泰國拓展他的事業，幾十年的歲月過去了，鮑小姐向媒體泣訴她有多懊悔將女兒交給前夫，也希望愛女聞見訊息能跟她聯繫一下。

這樣的做法能否見效，這對母女能否通得上話，要看時和運而定。再據報導，有位女明星，大家很久已沒看她出來演戲，一出現新聞媒體搏得的版面就是嫁給身價百億的澳門的大富豪，女星曾在婚前告訴來訪的平面媒體群：「我結婚，一定是為了愛情」；據傳，此星平素頗為驕悍，與未婚夫相處數月之後，她向一直牽著她手的人說：「你把老虎養成貓了」。

猛獸登時蛻變為家貓，愛情的力量果然不可小覷，這一切是否全憑愛情所賜，恐怕只有雙方才知覺到，少了經濟的憂慮，凡事應很快樂，只是老公限制她穿得太暴露，牛仔短褲的裝扮都被再三提醒，說她現在已是陳太太的身份，不再是單身的青春少女。貧賤夫妻如果看到甕底快沒半顆米，哀和怨的場景應該是可以想像得到，愛情已不知失落於何處，接著就是連續的嘆息。國家的執政者認為公務人員退休後所領的錢如果不改革一下，未來的國庫就會慢慢的虛空，屆時財政就完蛋了。既得利益者的原來利益在不情願的狀態下被減少，形成了部分民怨，但是不改好像又很難，執政者走出一步險棋，賭得是下次選舉的輸贏。

貨幣精神

大多數的人都愛錢，「錢能通神」這句話大概也沒什麼可質疑的，有些自稱師父、通靈者、年幼就「開天眼者」，據說能替人消災解厄，準不準不知道，只是都要先拿出錢財給予具有神力之人，由他來替您化解災劫，進而轉福呈祥。有一詐騙集團說只要把黑紙浸泡在一種液體之中，黑紙很快就會變美金，還真的有人相信，可見金錢的魅力能讓人頓時暈頭轉向，喪失正確的判斷力。

隨便的一張紙是不可能變成美金或是他國的貨幣，大多數人出門時都會攜帶硬幣和紙鈔，只是數量多寡而已。柯 P 市長說要讓紙鈔和銅板在臺北市消失得無影無蹤，蓋因魚肉拍賣市場在凌晨交易時，買賣雙方的手裡都拿著大批鈔票在四方遊走，容易引發有心人士的覬覦，危險指數居高不下，偷與搶就在霎時發生，難以防備。北歐幾個國家採行的電子貨幣，大家輕鬆來輕鬆去，了無牽掛，想用錢卻不見真的錢，好不悠哉，做法值得參考、效仿，有些地方的遊民，還自備刷卡機以供善心人士多加利用，有事沒事多多捐助善款，累積功德。除了魚類市場的交易方式，像是花卉市場的交易，就是下一步要推動無紙化的場域。

郵政總局每個月均會發行郵票，票面金額也由他們自行決定。此票非彼票，日常交易的鈔票之「創發」頻率可不會這麼高。由臺灣的中央印製廠發行的硬幣和紙鈔，上頭的人物像圖像莫不是已被置放了幾十年，讓人看了熟到不能再熟，望見一塊銅板不需看見數字才知幣值，只消半尊人像的露臉便知其多少價值。貨幣打上人物，除了填補空白位置也給後世可予之追念、憑弔的幾重意味，好比街頭、圓環或是特定廣場豎立起某尊銅像，路過者瞥見如見真人再現，肅穆之情油然而生，幽然地思念起他的一生我們就得效仿他的人格，至少今後壞念頭要少一些。

世界各國的鈔票或硬幣上也都鑄上名人或領導者，像美國有開國英雄，日本有福澤諭吉，越南有胡志明，中國大陸有毛澤東，臺灣有誰，大家都知道，不過幾十年來新鈔問世，政壇人物的比例下降。把政治人物的頭像鑄上貨幣的缺點已顯而易見，蔣友柏說要為一個人築立一座紀念的堂館，至少得經過五十年之後，這還算是保守的數字，名人的故後不曉得被人翻出什麼樣的一堆舊帳讓人點評，所講的就是他曾祖父。

思考盲點

瑞士學者 Rolf Dobelli 寫了幾本跟思考有關的書，這種書一如預期地大賣，在這個處處講求手氣好壞與商機大小的年代，往往一個投資失準，都將蒙受極大的損失；這位經濟學人的觀點顯然受到很大的關注。在《思考的藝術(Die kunst des klaren Denkens)》，52 篇短文便有 20 篇跟你的固有偏誤有關，換言之，作者意圖修正大家長期以來原有的思維路線。好比他說在日常生活裏，大家總是免不了系統性的高估獲取成功的希望，也高估自己的學識和能力；於是乎作者鼓勵粉絲們要謹小慎微，抱持實事求是的態度，去對待每個人，處理事情上也不能大意。作者卻又說我們面對專家提出的看法，基本上就是會服從權威，即便當下覺得盲從毫無意義，不由自主地還是會去遵從，然而「權威偏誤」卻會肇致很大危機，讓自己和身旁友人身陷其中。

避免偏誤的發生即為他一系列書籍的賣點，不過故事的例證則更引起讀者的興味，好比來店的顧客問起門邊販售的鍋子的單價若干，店員甲向正在內部工作的資深店員乙高聲詢問價錢，乙回覆二百四十元，甲則高聲呼應，佯稱是二百二十元，顧客一聽以為自己賺到，獲得意外的「價差」，不立刻「下單」有虧老天爺的恩賜，於是生意立馬成交，達成似乎雙贏的場面。

商場猶如戰場，兵家若不願行詐，且腦袋過於耿直可能找不出一條生路；以上這種情形在交易場上是有，但不常見，如果以為這是高明的販售術，不如業者先搞清楚產品市場上的真實行情，自己再略降一些。因為買了二百二十元東西的人，如果改天知悉其他商店還能賣得更為低價，很快就明瞭不是他佔了那家店的便宜，而是遭店員甲、乙給耍弄擺佈了。

應用在談判的場合中，讓對方感覺自己有所退讓，協商就容易達成，不然易成僵局。其中還故意留有一些伏筆，日後雙方再來掂量計算一下，看看誰才是真正的贏家。

赤裸清潔

刊登在一份期刊上的學術論文，作者所撰寫的目的，是要擦拭《金瓶梅》這本古典小說的門面，使得它不至於被歸為淫書之列、色情之作。於是文內博引了袁宏道、宋起鳳、李日華、劉廷璣、沈雁冰、魯迅、鄭振鐸、徐朔方、章培恆等古今文藝名家的點評，想盡辦法把此書和其他的色情小說作出區隔。只是，所引述的看法，用來支撐這位作者非淫書觀點的其實大體而言見仁見智，好比劉廷璣就曾經認為《金瓶梅》這書，「真稱奇書，欲要止淫，以淫說法，欲要破迷，引迷入悟」。

被列為家喻戶曉的四大奇書之一，想必有它奇特之處，內容大量充斥男女交歡場面，對於雙方歡愛時的生理反應也都有鉅細靡遺書寫，閱者除了瞭解明代百姓的生活外，亦易引發遐思。若想證明哪一本書是淫或非淫，就要深切的對於名詞有所定義，不能只靠歷代文士、名家的說法進行入另種自我解讀而輾轉達到目的。現今市面上流行寫真攝影集的印售，特別對於女性胴體強調露幾點的隱約表現，銷售的行情結果差別甚大，被拍的人終究追求的可能是名或利，也可能是自認的歷史定位，或是自稱不讓青春留白，想留下年輕時的回憶，然而藝術抑或色情上的呈現難免讓人出現不同的見解。

小說和寫真攝影專輯都還算紙面上的閱讀，若是有人進入你的辦公室內或居家的處所之內，進行清潔打掃的服務工作，這樣原本極為稀鬆平常的事，頂多是金額多寡和由誰付費的問題，卻因打掃者的裝扮引發熱議。因為服務生擺明的就要衣衫不整地進行服務工作，並且依照赤裸著上半身或是全裸有著不同的收費方式，露幾點的行為舉止在此成為打掃服務的條件。

不著任何衣物進行清潔工作，好處是經過一番打掃工作之後，身上除了汗水之外也難免招惹許多塵埃和汙垢，這時可直接自我身體的清潔，比起正經八百的穿著工作服來做事，可不用擔心衣服弄髒。不過，辦公場所多有溫度調節的空氣輸送設備，要是一絲不掛的工作，除了容易著涼，犯上傷風感冒的疾病，再者，清潔時所使用的液體對於身體的直接噴濺，亦難以防範，該類液體中很可能部分具有腐蝕作用，工作時不免會對肌膚造成或多或少的灼傷或燒燙，這些都是雇主和有意從事這項工作者事先要考量的地方。想來從事該項清潔工作的人有女性也有男生，想請他們做事的也會有男有女，雇主們想要突破傳統的作法，改採標新立異的路線，除了確實的需求，可能也藏帶著其他的動機，就像尋求感官上的刺激就是一個因素，比觀看寫真攝影的書刊還要寫實和寫意。

憑恃財富，企業主可以從事很多工作，找人來從事清潔工作，與聘僱員工在辦公室進行任一工作其實大同小異，差別之處就看來者的服儀穿著。在美國，有間中等規模的公司規定員工上班時，自總經理以下到工讀生須裸裎相見，較為害羞者亦僅著內褲一件，如此一來因為職場氣氛放鬆，人際之間的緊張程度降低，工作效率反而提高，剛開始不免有情色念頭的最後也見怪不怪了，該公司提倡這種「坦誠相見」運動的始作俑者，還是一位女性的高階主管。所謂「欲要止淫，以淫說法」，這樣的說法是否為真，如同我們看待裸體的清潔的工作，如何習慣罷了。

以猴治豬

在印度，猴群大舉侵入住宅和政府機關，為了求取食物，視人類為無物，破壞裡面的家具設備和撕毀檔案文件，猴子在彼處被目為神聖的動物，不得任意捕捉撲殺，被激怒的民眾只能拿著棍棒和石塊眼巴巴地瞧著這群聖獸在肆虐，不敢有太大、過於激烈的動作，以免觸犯神威，帶來災殃。

臺灣也一直把這種動物劃歸為需要保護的類型，如果牠們侵害到農作和果實，只能「循循善誘」，設法使其離開或改變方向知難而退，再狠的就想想辦法加以強力驅逐，趕盡殺絕的做法是違反法規的不當舉措；猴子的存在也非一無是處，除了可供玩賞之外，有位養豬戶陳某，剛開始經營豬場時，正巧碰上口蹄疫大流行，豬隻的病亡率極高，僅有少數殘留下來，頓時讓他的生意大受影響，一度萌生改行的念頭。正巧，他南部的朋友無意中逮獲一隻臺灣獼猴，想到古書《西遊記》裏孫悟空和豬八戒的故事，孫行者身為大師兄，且功力更高於豬八戒和沙悟淨，於是把此猴贈予陳某，用牠來「管理」剩餘的豬隻，效果竟出奇的好，豬場漸漸恢復往日的榮景。

孫悟空能夠七十二變，變幻成各種鳥類收服盤絲洞的群妖，其道行甚高，但也不是打遍天下無敵手，就像一行人欲過火燄山遇到羅剎女和牛魔王夫婦，經過幾番纏鬥，最終還得請出佛祖來降服妖道，牛魔王被逼急了只得說「莫傷我命，情願歸順佛家也」。到了清代的《聊齋誌異》，出現了< 齊天大聖>一篇，裏頭難免有孫行者的角色，卻不是正義與邪惡爭鬥的歷程，而是使亡者由石棺之中復甦，讓不信孫大聖的人為之拜服的故事。

無論西遊還是聊齋，都是透過想像進一步編寫出來，內容對於當時的朝政有所嘲諷或批貶；不好意思全都寫人類的行為思想，便以動物權充一下，以免招致誤解，以為人類都很壞。唐三藏率領徒弟前往天竺取經，徒弟們需要具備不凡的的身手才能制服路上潛藏的群魔怪妖，所以內容可謂管理學的知識。猴能治理豬群的理念若是脫胎於這本古代的神魔小說，寫小說的人也可把角色互換，只是在既有的概念下靈長類的動物行止看起比較像人，跟人類的進化過程頗有淵源，豬隻則是一般豢養的牲畜，被當成烹食的主要肉類來源之一，將豬的容貌比擬為人已屬抬舉，豬的神通功力豈能超越行貌似人之猴界大王。基於這樣的思維，孫行者的地位當高於具有天蓬元帥名號的豬八戒。

臺灣的獼猴讓農民和鄰近住家頭痛不已，過去將其捕獲後，不可如獲至寶般的用鐵鍊把牠栓住，限制牠的行動，因為該類隸屬保護層級的動物，自行畜養都不行，現今則略為放寬；至少在對付猴群上較不會綁手綁腳。陳姓的養豬戶當初便是被人發現有了上述的行為，受到行政罰鍰的處份。現代的猴子們，能否好好的管理豬圈裡的朋友還是很難說。

你代表誰

根據世界衛生組織的統計指出，全球平均每二十個死亡的案例中，就有一個是與「酒精類」的東西有關，也就是像喝酒肇事、酗酒中毒、飲酒過量造成身體器官的逐漸衰壞、提高致癌的可能性，導致每年有三百萬以上的人因此而步上黃泉之路，比起如愛滋病、糖尿病或其他慢性疾病而告終的人數還多，等同對世人提出一種警示。

最近一年的資料顯示，一年之內酒駕次數被查獲的案件超過十萬件，移送法辦的超過六萬件，在酒駕釀成各種車禍事故尚未被大大重視以前，酒後駕車的發生率必定遠高於立法威嚇之後。正因酒駕導致各種大小悲劇層出不窮，參考他國的作法，透過立法，對付酒後駕車的手段也就愈趨嚴格，任用官員時，是否犯過這項紀錄，幾已形同重要參酌。

詩仙李白一嘗美酒，詩文更顯自然率真，那是一個沒有道路交通安全規則的年代，路上只有馬與馬車的縱橫。酒精飲品喝入腹內，順著血液循環進入頭部，逐漸造成神識不清，腦神經慢慢短路，開車行駛於道，手雖握觸方向盤，眼睛開始朦朧，意識也步入模糊狀態，對於其他絡繹於途的車輛和行人安全構成一種威脅，一旦發生了撞擊，就好像預謀殺人一般。飲酒之後駕車，於己於人都有極大的危險潛藏，即使酒後並非自行開車，帶給自身的風險依然不小。

高速鐵路的 160 班列車晚間自南部的末端車站發出之後，很快地抵達臺中站，再經四十二分鐘便直達板橋站，中間不會出現任何停留，如果壞了這項規定，表示中途有了一些突發的狀況。狀況是吃完酒宴的一位現役的林姓少將，在車廂之內先與鄰座發生口角爭執，帶著幾分微醺的酒意，再對著向前來關切的列車長大聲咆哮，雙方對答大約如下：

林某：「我要求現在立刻停車。」

列車長：「這是直達板橋的，最近的站是不停的。」

林某：「怎不停的，我代表的是某軍醫部隊，番號是ㄨㄨㄨㄨ。不停嗎？把總統和行政院長找來！」

結局是，林將軍果然「如願」在最近的新竹高鐵站下車了，只是他是被強制上了手銬，場面頗為狼狽，也耽誤了全體搭乘者的時間。國防部得知此項訊息後，除了解除他的職位之外，隨後將他轉往冷宮部門，亦將靜待調查結果出爐。

事後也有陰謀論的傳言沸沸揚揚，他的摯友們覺得此事難以置信，二十年來從未見過他酒醉失態，因為他酒量不錯。猜測在於精實案後，特勤官科的將領職位已經愈少了，所以到底是誰帶著林某去喝酒，且讓不醉翁糗態畢露，變成一些人很想知曉的答案。

酒醉之後駕車，看不清路上的動態與靜止的物體，直到撞上了人或車，才能幡然酒醒，不過已鑄下錯誤，深深的懊悔也彌補不了什麼。列車在什麼時間該停哪一個車站早已有所明定，胡亂的停頓只會耽誤其他乘客的時間，班次也會混亂。說自己代表何種機關部門便立即要求臨停，就是管理不了自己的大腦，控制不住當下的言行。

海的推挪

把瓶中信拋擲入海，代表著一種希望，可能期盼著某人能夠成為收信者，或者期許自己在未來某日能夠重新拾得。信件的內容隨意而寫，可似給予情人的戀曲，當也能做為自我惕勵的力量。時間囊的埋設入土，尚須設定某一時日前往挖取，瓶中信則藉由海水的承載，由岸旁有緣人士來撿取。

海水如果遵循規則的流動，瓶中信最終會漂到何處，大致有個方位可以判斷，不過還是會受到其他因素的干擾，跑到何處光靠學理還是很難拿捏。現在能見到的最早的瓶中信，據信是在 130 多年前，德國籍船隻 Paula 於印尼海域為了測試洋流所擲出，最後在澳洲海邊被撿獲，信文的內容並不清楚，經由拼湊紙張來解讀，大抵跟偵測海流和氣象方面相關。到了現代，不慎掉落海中的數位照相機，好比一只不情願被放流入海的瓶中信，拍攝過的每張照片猶如生命的沉浮，成為種種訊息的深刻紀錄。落難於海中的照相機遭受外來各項條件的嚴苛考驗，損毀的可能性不低。

就讀於日本上智大學英語系的椿原小姐，來到她的國境之南石垣島遊玩，逛完天文台時已比預定時辰略遲，拍攝美景之外還去參與浮潛活動，就在她想要拉一把差一點溺水的友人時，照相機就在此時滑落水中，找尋許久，依舊不知去向。如果這部相機是有生命的個體，在幽暗的海水中載浮載沉，當真是命不該絕。自東向西漂流的它，等到被宜蘭蘇澳岳明國小的學生在清理海岸時發現其蹤跡時，早已滿布藤壺、荊草和小貝殼，遠看還以為是一種類型的刺蝟。幸而此機防水功能極佳，否則難能由內存的照片影像很快的找到失主。

人類的疏忽，很多東西都有遺失的可能，失而復得果真教人喜悅，可惜的是大部分的失主都沒這般的幸運；他們丟掉的物品，不論高貴或低廉，從此石沉大海不見天日的可能性相當高。有位住在高雄的許姓民眾，拎著令人稱羡的「哀鳳」9 型的手機，和家人一道前往屏東鵝鑾鼻海灘曬曬冬日的太陽並且戲水，玩著玩著，價值不斐的手機就此離開主人，跟那位丟掉數位相機的日本女大學生一樣，任憑四處苦尋也找不回，許姓民眾只得在向警報案之後，暮色低垂時，帶著苦惱和失望的心情返家，期待奇蹟能夠出現。

離開臺灣最南端陸地的手機，並沒有朝著東面漂流進入太平洋，也沒有向西漂移跑到其他的國家，卻是溯流而上，跑到桃園大園區海岸邊許厝港的濕地，被眼尖的漁民拾獲，小心翼翼地送交當地派出所；一番折騰後，確認手機的主人住在高雄，正好派出所內有位女警隔日到高雄出差，於是順便帶至高雄物歸原主，人機相聚的故事傳為美談。

海洋暖流的順勢而上，使南部海岸的遺失物得以在北部的海邊被人發現；不過地理專家指出，若是在澎湖海邊遺失了東西，恐怕就沒這樣幸運了，能在臺灣本島的任何角落被發現，順利的回歸主人的懷抱，值得慶幸；因為它非常可能走到更遠的地方，從此不知去向了。

不只是台灣四周環海，很多國家也是如此，海洋與生命的關係顯然十分親近，很多人便靠海維生；但也有很多人將不必要的垃圾從陸上、船艦之上投擲入海，海中的生物或海水或許會將一部份消化吞噬，大部分則久久殘留。大海被弄潮的遊客玩賞，也遭人作為許許多多的運用，海水的動向隨著地球的自轉起起伏伏，時刻在變化之中。掉入她懷抱的照相機、手機可能會歸還了主人，到時候垃圾也會還諸大地。

卷　三

摧蚊技法

耳邊嗡嗡作響，尋求與人類進行肌膚之親的蚊子往往令人生厭，特別是被牠吸了血和注射毒液之後的感覺尤甚，除了愈抓愈感痛癢還擔心被惡疾所傳染。蚊子的存在使得各種防蚊液、蚊香、含 DDT 的殺蟲劑、電蚊拍、驅蚊植物等等大發利市。想要消除專營吸血的蚊類，運用我們的霹靂雙手之外，配合各種利器和奇招，方能有效地逐步讓其徹底滅絕於地球之上。

面對窮凶極惡、招術狠辣且處心積慮一意要滅蚊的人類，蚊子雖然渺小，卻非弱者，牠飄忽不定，令人難以捉摸，一邊覓食也不忘自我防衛，以防一失足成千古恨，再也無法振翅翱翔，找尋繁殖的場域。所以真能消滅殆盡嗎？現今找到的化石，蚊子至少在一點七億年前的侏儸紀就已出現；這個時候，人類尚處渾沌階段還沒被演化出一個初步的外型輪廓來。用雙手拍落運翅而飛的蚊蟲是基本的克敵方法，效果卻極其有限，因為那只能整治有限的數量，根本的地方難以解決。多少年來，人們苦思消滅蚊子的方法，蚊蹤依然鼎熾，持續困擾人類，三不五時從我們難以望見的地方成群結隊，緩慢地傾巢而出，準備吸取血液，補充持續戰鬥的養分。

專家發現，把蚊帳浸泡在除蟲菊精類殺蟲劑和昆蟲生長調節劑的藥水中，可有效減少西非一個國家的瘧蚊百分之十二；

這樣做的話自然能夠減少相當比例的蚊害，不過這是在特定區域的試驗而論。澳大利亞的病蟲害專家發現一種利用蚊子來控制蚊子繁殖的技術，藉著帶有 Wolbachia 菌體的人工繁殖使埃及斑蚊再生，再與野生的蚊子們交配，後代便無法持續傳播登革熱病毒，除了遏止登革熱的疫情爆發，也可望於未來抑制瘧疾和茲卡病毒等跟蚊蟲有關的傳染病發生。這項試驗以一個城市的周圍六十六公里為範圍，試驗結束之後有四年未在該地發現登革熱病毒傳染至人的身上。

另外一種方法顯得比較乾脆、省事，利用高速的脈衝波可以尋覓到所遇蚊子的「個資」，再找到彼者的「蚊巢」後則予以徹底剿滅，也就是利用軍事雷達去尋找蚊子的蹤跡，雖然看起來是運用大砲打小鳥，作風略顯樸拙愚鈍，終究不失為消除害蟲的一個起步，初步看來是一個不會造成環境二次汙染的可行方針。根據世界衛生組織的統計，世界上每年約有上百萬人死於蚊子方面的疾病，比在戰爭中相互持用武器殺戮，死於非命的總人數還多。找出滅蚊的最有效之道，其實等同於尋求滅除其他害蟲之法，只不過是暫時減少牠們在地球上的數量而已，人類跟這些不分晝夜、神出鬼沒的蚊子還要共存一段漫長時日，說不定到天荒地老，是意料之中的事。

機車讀者

早年的軍教片強調軍人的威勇以及建軍歷程中可歌可泣的一面，觀賞者隨著節目的節奏進行無不深受感動。在影視節目走向高度戲劇化和綜藝類型時，內容如不詼諧逗趣，難以在票房立下奇功，開出漂亮成績。曾經有人投書媒體，指出我國向來拍攝軍事方面的電影和電視劇的名稱，好比「超級機車之天兵班長」、「狗蛋大兵」、「超級三等兵」，與外國的影劇節目強調軍人的英勇剽悍形象大異其趣，認為政府有關單位應該出來管一管，改改名稱或是調整一些調皮搗蛋的內容，希望藉此提振軍人形象和士氣。

影視一味籌拍軍隊生活，無論是大專集訓、新兵入伍還是特種部隊的演訓，主要目的還是在於凸顯這種講求軍紀、枯燥生活裏外界難以得知的地方，是嚴肅中帶有幾許趣味的一面，而不是刻意的進行醜化，但是情節中幹部的威嚴和天兵們部分無厘頭和散漫的演出，兩相對照之下，感受出團體中的成員怠惰的一面和紀律的鬆懈。想要重整廢弛的秩序，需要的是棍子和蘿蔔，棍子的功用往往更甚於蘿蔔。此外，摻雜對於愛情的追求，調劑了嚴整的氣氛，亦有助於收視率的提升。

美國人製片的水準已超乎一般國家的水準，但他們拍出來的也不完全彰顯一貫的道德正義，或是歌頌美國的偉大，有些甚至還諷刺司法和情治界不為人知的黑暗面。愈是把這些機關腐敗之處描繪的愈深入，就愈能夠進一步刺激票房，提高觀眾的好奇，獲益也隨之提升。在諸如此類的題材中，中央情報局和聯邦調查局的大小人物之間的鬥法過程顯得吸睛，因為大官為何要迫害小官，應該難以跳脫以下幾個原因。

中情局的官員收受賄賂，去循私包庇犯罪行為；好比毒品、槍械的走私，下級官員抱著公理正義的決心，決心一路追查到底，結果反倒是給自己引來極大的危機和麻煩，因為上司有的是權，下級如果傻呼呼地一味要去追查，結局可能是丟了寶貴的性命，追查到的源頭出乎自己的預料。而專司查緝毒品何來何去的緝毒局官員，因為利字當頭，很可能被毒梟所收買，局勢更形混沌。

或者有的人想升官（如中情局副局長自身），等待多年也苦無機會，必須要搬開某些眼中釘，對象甚至於是參議員，卻不慎在殺人行動中，遭到他人錄下影像，所以不僅藉由權勢除掉某人，還要逼迫對方交出自己犯罪的錄影帶，方能永絕後患，如此一來平步青雲，睡覺也能安穩。

也有可能是聯邦幹探追查某人婚外情時，陰錯陽差地查到國會議員跟他的女秘書有苟且亂搞之事，查獲者趁機勒索，被勒索者不甘心受要脅，於是展開一場互扯後腿大戰，戰事的開啟難免搬出一些武器，於是有人為了財與色付出了相當的代價。

敘說政府官員腐臭不堪一面的影片的製作和發行幾乎每年可見，不會有所停止，而且為了票房紀錄的爭取還會更加推陳出新，觀影者卻不會就此貶低超強國家在世界上的地位，美國的軍警也不會擔憂因此破壞他們的形象，用立法來杜絕有損軍警影片的問世，而去鼓勵甚至獎勵大家多多拍攝充滿「愛國、軍魂」精神的影片，可見勇於揭弊之舉還是很受歡迎。

墜地神兵

北市刑警大隊的警員在進行例行垂降訓練時，因手未抓緊垂降繩，導致臉部擦傷，從二樓摔至地面，所幸只是輕傷沒有大礙；網評「做廚師的難保不切到手的」，不論軍人或警消在例行操練時，一有不慎都可能造成輕重不等的傷害，輕則刮傷肌膚，重則就不堪想像了。

垂降尚須用繩，但自高空躍下的神勇部隊，便不再有「神仙索」的協助，得以自在如意的上下，完全視自己的造化。每年由軍事單位主導的漢光演習，展開的前夕由空降特戰部隊首先暖場，可以想見就是跳傘的各式表演。飛機爬升一定高度後，數十人魚貫從 C130 的機尾跳躍而出，率先形成一條整齊美觀的傘海，預估在一分多鐘後陸續著地於清泉崗基地附近後完成預先設定任務。人自高處落下，即使久歷訓練，事情總有意料之外，特別是演習時刻，有位已經跳過十一次傘經驗的秦姓志願役上兵，躍出機艙後卻見他的身軀打橫地掙扎，他想努力撐開傘具，近乎徒勞無功，在沒有太多效果旁人又無法伸援的情況下，經歷二十六秒後墜落於地球表面上。

眾神兵從高空一躍而下，終究都是要回到地上，差別只有遲速之分。戰士們一離開飛機後，要立即拉傘，以免產生措手不及的遺憾；部隊的政戰主任說秦員出事的原因在於主傘張不開、副傘又吃不到風，初步排除摺傘連的人亂摺的可能。直覺的反應，雙傘皆失去應有作用，平日的訓練告訴他身體如何應變，一尾活龍地還是被地心引力所牽制。

秦員落地後一片沉寂，許多人看情形不對圍了上來，檢視他的傷情。約一百三十樓高度跳下的人，昏迷指數從三到十一還逐步上升，患者自毫無反應到了見人激動落淚，手指漸漸有了知覺，並與人握手。由死亡之門前繞了一圈回來，還有很長的路特別是復健之路要走。

在任一軍種當兵都有風險，跳傘發生意外，仍須有人前仆後繼地去跳，不會因此而停止，打仗時需要他們潛入敵陣後方遂行任務，平日的體能訓練自然分外吃重和嚴格，晚點名後的交互蹲跳就不曉得要做幾下，才能確保承受得住日後從高空降落而下的衝力。至於跑步，聽那些曾經傷重入院的空特部弟兄說，還分徒手和全副武裝的跑步，辛苦的磨練，才能打造出勝利的契機。

不到正常落地時間的三分之一，就結束了空中欣賞美景的時間，除了折傘作業的可能差池之外，跳傘員的緊張和風兒的干擾，不免列為考量因素之一。後來也發現，因他是60迫砲的砲兵，需要攜帶十幾公斤重的物品，出艙時身體的敏捷度自然不如他人。

傘兵深入敵陣，為了是要制敵機先，讓敵人猝不及防，徒手難以抗敵，最終獲取勝利的結果；而攜行武器在所難免，還未裝設好自身攜帶的槍砲之前，這些東西反而成為落地前脫離束縛上的羈絆，甚至危及自身的生命安全，是該思考改進的地方。跳傘的人身處高空當中，獨自攜行主副二傘，生死決斷於數秒之際，若無他人的協助，應要設法自救，其實再行攜帶另付傘具恐怕已屬多餘，也增添太多重量，不合快速作戰時宜。一位駕駛 F16 的戰士，漢光演習當天發生軍機撞山事件，他連彈射出艙的時間都沒有，錯失了自我救援的時機點，傘兵的運氣就比開飛機的人稍微好了一點。

跳傘時如能自行攜帶一把可以摺疊的小傘，於千鈞一髮危急存亡之秋來展開，相信應可減少一些高速墜落的力量，如果自身的體能狀況和運氣都不如這位秦姓上兵的話，這把小傘能把各種情況盡量趨近於他，類似小雨傘的小傘啊，說不定變為一道有形的護身符。

古蹟原貌

蓋凡一棟房舍的興建隨著時光推移演進，每個階段的樣貌都不太一樣。好像人從出生伊始會慢慢變老，皮膚猶如水份被日漸蒸發般的發皺，整個外形逐漸讓人覺得在無聲無息的改變之中。從地基開始興起的建築物的外觀也會漸漸老去，變得和最早所見大大不同，斑駁鏽蝕加上風霜，以及經年 PM2.5 的瀰漫浸潤，終於成為名符其實的老舊建築。

房子最初的外貌是怎麼樣的，可能有人早就做成紀錄，成為文字或圖像，方便日後查詢閱覽，並予紀念緬懷一番。不過大部分的還是後人需要憑空想像，估量它變老的速度。因為平時很少有人注意，這些住宅何時變得蒼老不堪，何時該被拉皮，甚或進入毀棄不堪的地步，應當予以重建。若是早年的一幢茅屋或竹籬編製而成的屋宇，隨著時代變化現在已絕非如此，變成很具規模的房舍或眾人參拜的廟宇。有間供奉清水祖師的廟宇，小的廟身外還興築更大的建築體，型塑出巧妙的組合，可見是後來香火鼎盛的延伸，廟方有意的拓建，可是還能看見最早的建築形式嗎？

想要探尋出一棟屋舍的歷史痕跡，不如尋覓出一條老街最早的樣貌，因為街衢是由櫛比鱗次的排列而成，時移勢易，有的號稱代表一個城鎮開拓精神的老街，也慢慢經由各自的改建，商家紛紛販賣著新式的吃與喝，外部更充斥極其現代化的精神，內外相迫之下，若不是街上的一間大廟，裏頭存放的碑石記載著十九世紀的何年何月何日，來自法國的軍隊想要登陸福爾摩莎，同時在此與清朝的軍隊進行激戰的經過。來到此地的觀光客還不容易感受到他正走在一條昔日商港的老街。

可能有人知道所指何地，有人不知，那倒無妨。古蹟不只是針對著古廟而言，古蹟在修復上常聽到修舊如舊的說法，正試圖找出原來古蹟的外型，而不是期待將它經由修繕之後，變出一幢嶄新而令人雀躍的模樣；舊的東西使人想起前人在此的生活和留下種種的影像，無論好到難以忘懷的或者決意要抹滅的記憶，今已不復還再見到。

一座具有某種意識形態的紀念堂要被拆除時，反對拆除者提議列為古蹟就沒人敢動，平安無事保留，也有人指出屹立不搖八十年以上的才算古蹟，否則列入新的房舍。儘管蓋好了幾十年距離古蹟的認定標準上有一段時間，那許多美麗事物還是讓人盡力去維持原狀，苦思如何不會更動外觀。但是不管古蹟不古蹟，在它存在之前，該處可能就是平野、稻田、空地、沼澤、湖泊，毫無建物之地，那麼目前大家所見的其實就是原貌，沒有比它更先的東西出現該地。修葺古蹟，想找回的原貌，該是那值得留取記憶和美好的階段。

把別人的祖厝老房訂定為古蹟，看似具有保存歷史文化的智慧之舉，房子的主人不見得領情，如此一來就不能擅自修繕和更動，自己和先祖居住過的地方，日後大批觀光客將戶為之穿。於是半夜雇用怪手將其毀壞，古色古香隨之香消玉殞，往昔的美貌僅能從過去保留的相片中去憑弔。跟大地震、風災水災肆虐後的場景差不了多少，即使重建也指回復原來的百分之多少而已，看似恢復了原貌，至少材質都改變了不少。

善惡互隱

搭上每日通勤的列車，你的行蹤旋即遭到他者鎖定。所謂他者，可能一人、二人或一團體；他者在向你傳送訊息後，你必須迅速地在各個車廂間找到一名叫 puli 的男子，並且將之殺害，否則你的家人性命堪憂。在一番折騰後，終於找到 puli，不過此君並非男性，而是一位情緒激動的弱女子，其實她的名字也非 puli，是她手上的一本書名之中出現 puli 字樣。就在此刻，手持書本的女子會遭到毒手嗎？

上述可能發生嗎，這樣活生生的情節如果於現實生活裏出現，緊湊的過程讓人神經緊繃，十足感受到自我的心跳和喘息。這樣典型的好萊塢製作的災難型影片，透過動作派巨星的賣力詮釋，看似結構完整的震撼演出，劇情的邏輯漏洞卻不少，隱約提醒大眾這只是一齣戲，招式都預先套好，結局不言自明，自然邪不勝正，壞蛋有的被當場殲滅於世上，有的則被繩之以法，得坐多年的苦牢。曾被開除的保險員則因表現英勇，協助以前的同僚破案，而應邀回到警探的崗位繼續上班；不過其中的壞警察披著正義的外衣到處行惡，終究賊星該敗，不能一再故技重施，而且也賠慘了，正義之神最終取走他的性命，讓他無法繼續再於世間作孽、爭權奪利。

只要有利益的誘惑，即使平日帶槍維持和平的使者也難保不被糾纏而深陷其中，因此，正義與邪惡的對峙，無形中便是一種巨大的賣點，挑動著觀眾的視覺神經。美國聯邦探員或地方的警長、副警長之類的甘做害群之馬，背後因素大概是錢財的糾葛或是理不清的感情動機，逼使他們不得不鋌而走險，踏出人生錯誤的腳步。同樣，臺北市中山分局轄下的某個派出所鬧出收賄案，至少五名官警被約談、收押；柯 P 市長於是連續幾天攜帶著市府公文來到該派出所「辦公」，除了就近視導之外，他發現各種如報案、失竊、車禍等等，需要藉由人的手來謄寫紀錄的簿冊實在太多，於是要求全面 E 化，才能一目瞭然，大家都方便，提高作業的效率。柯市長覺得他這樣「親警」的動作，從此大家上起班來比較循規蹈矩。若是有效的話，應找時間到每個派出所做同樣的事，不只是警政，市府各級單位也要走一遍，不然大家恐怕僅僅暫時乖了幾天，和真正的弊絕風清上有一段遙遠的距離。

警察既為人民的褓母，理應秉持仁義，態度要嚴謹，行的是正道，讓壞蛋望之怯步，不過如有少數被私慾薰心的人，就不得不採取一些非常的做法。市長如果願意抽空前往基層單位去走走看看，不僅僅是警政方面，其他也行，除了穩定下屬工作的心，工作的士氣也提高不少。

解憂的店

有線電視頻道一週總有幾天播出「今夜我能讓人求神問事」的節目，譬如老阿嬤向主持人報告說她念高中的孫子結交了女友之後導致功課退步，如果把孫兒送至國外暫時脫離現在的環境，情況是否能夠獲得改善。老阿嬤把她憂慮的化解之道寄託在一位學習過命理的方士身上，只見他要了阿嬤孫子的農曆生辰後加以解析一番，直言孫兒生來乖巧也頗憨直，即便換環境也換不了心境之類的話語，勸說其還是乖乖的待在國內靜觀其變較好。

老阿嬤心靈彷彿獲得一些安慰，鬱悶有所宣洩，就不再提出什麼疑問。人無遠慮必有近憂，現在人的心中難免有一些難解的結，在遍尋不著解結方法時，新聞媒體提供紓解憂悶和排除困頓的場域，是由命理學的觀點來解析發問者的困惑；如要測字也行，提問者從 0 到 9 之間選擇一個數字，「老師」根據你的名字、住址和出生年月日，指引一個方向讓你走；有位名叫「嘉福」的男士，生肖屬牛，「老師」認為福字的最終筆畫處為「田」，牛者生來註定有犁不完的田，實在太過辛勤勞苦，最好改名為妙，才不會累垮。

屬牛之人需要從事農夫的工作，沒田可犁可耕大概就要改行，或是碰上荒旱的年頭就更麻煩。倘若，把心中的難題撰寫在紙卷之上，於夜間投入一家久已荒廢的雜貨店鋪的信箱之內，隔天便可取得某人的回覆，如此神奇的回應方式，正是推理作家東野圭吾的小說《解憂雜貨店》的主導線。

發問的人應當知道回答者是雜貨店的老闆，不是處理生活問題的專家，為何偏偏去投石問路，箇中原因恐怕只在求取一種參考性的答案，也就是提問者本身已然存在著一種看法，目的在於尋求對方給予的答案是否與之相符，如果雙方歧異太大，彼此再來一陣思維上的較量；這種較量也像是一種攻防，就像年輕夫妻對於生育兒女的數目舉棋不定，還是對於居住在郊區還是市區難以抉擇，如為享受恬靜和美景的生活，郊區應當是首選，但是要考量到購物和飲食的便利性，市區的生活機能當然較佳。問誰也都出現利弊互存的意見。

電影版中的三人剛開始想跑離「浪矢爺爺」的店鋪，但他們逃不出既有的街道架設下的範疇，他們誤打誤撞進入屋內承繼了回覆問題的任務。來詢的問題也引發他們對於自我出身的疑問。

浪矢老伯在身體尚為硬朗之時回答信件純係服務性質也是生活樂趣；現在人有了疑惑大部分尋求命理方面的諮商，企求於事業、家庭、學業或愛情找到另一個出口或理想的道路，命理師可能講解的比解憂雜貨店的老闆還要專業，不過也是提供另一種解憂的方式罷了。

何人隨伴

大陸遼寧省有位姓常的婦人，自稱曾有外星人出現在她的身旁，指點她如何替重症患者治病，她說她可以看見這位外星人，別人卻是使勁的瞧依然不見任何東西，而她始終利用外星人所撥發的數字導引，成功地治癒了上千人。

很多事或許常大嬸本人才能得致問題的出現和解決之路，她可以見到別人體察不到的外星人，足見她的體質或具備的慧根異於尋常百姓，彷彿能夠隔空捉藥的人一樣。日常生活裏也許有人陪伴在我們身旁而我們卻毫無感覺，也許是來報恩或是僅來探視。有些人會出現我們的身側，有的卻渾然不知其存在。有時如能妥善「安排」身旁的人，說不定可以幫我們排難解紛，減少一些些的困擾。

人在無形中都會劃定自己所處的既定生活領域，如果有誰進入自身無形設定的空間之內，便會讓人產生不適和不快，事實上可能容許某些人進入自己所設定的範圍之中，就要視雙方的關係而定。

隨著大小車輛的日益增多，每家每戶幾乎都擁有汽車或機車，兩者兼有的比例也相當高。車輛就好比自我意志下疆域的無形擴充；在土地面積的侷限下，道路交通流暢度取決於行駛中機動車輛的多寡。有些鄉鎮的非主要幹道，以往交通員警並不怎麼注意路旁的停車狀況，於今發現情況趨於嚴重，遇到停滯不前的車輛，先行鳴笛警示一番，請車主快快移動愛車，不聽話的再讓他「見紅」。一種說法是看不慣違停的民眾直接向警政署檢舉，覺得豈能縱容造成途為之塞的任意停車，都會區和地方鄉鎮的馬路應該一體適用，亂停就該取締，不能出現差別對待。

於是巡邏、取締開罰單的情況較之從前熱絡多了，中壢市區一位小客車的駕駛，可能是覺得一個人駕車太過寂寥，或想在路邊停車時候放個人像假冒真人，巡邏的員警或是竊賊一時眼花，比較不會有取締抑或非分之想；於是放個人形立牌在副駕駛座，這個用硬紙板製作的頭像不是臺灣人而是美國演藝界知名演員喬治克隆尼。

每年高速公路管理局在重大節日的前後總是希望小客車的駕駛不要單獨就開上高速公路，起碼得坐滿三人，以求空間適度運用，也希冀減少公路上的車輛運行。於是乎有的駕駛員心生一計，在湊不足員額的當頭，擺上人體模特兒的塑造模型，並且為之梳妝打理一番，使之遠望還頗具真人上車的效果，因而逃過交警的法眼，藉此得以闖關。但是讓外籍人士的頭像權充乘客用來規避警方的盤檢，挾洋自重得以自在的停車或上路，以前倒是難得聽聞，網友們都覺得此舉十分有趣，警方也表示如非於巔峰時刻，不然他短暫的臨停應該還不至於違反道路交通的使用規則。

臺灣的官方或民間，常常展現與美國的關係友好，一來與強化自身國際地位有關，再則也能買到高性能的優異武器，藉以嚇嚇老共，提醒他們還有美國大哥撐腰。至於為何挑中好萊塢的影視名人而非他人，新聞報導則未多所著墨，只是在富比世雜誌最新的世界百大名人收入排行榜中，奧斯卡影帝喬治克隆尼排名第二，他以年收入 2.39 億美元緊追美國超級拳王梅威瑟的 2.85 億美元，其豪富程度可見一般；當然立牌於駕駛座身旁的可能僅是喬治克隆尼的粉絲，或是正好撿拾到他人遺棄的人形立牌，再行加以剪裁，使其成為副駕駛座的一員，即使開車的時候雙方無法談笑應對，亦覺巨星在側，殊堪聊慰一番。

娃娃重生

看到路旁汽車裏坐著一位嚎啕大哭的嬰孩，他因為無法自行使鑰匙開啟車門而在悶熱的空間中痛苦掙扎，旁觀者也急得如熱鍋上的螞蟻，好像除了敲破車窗沒有其餘的法子；乾著急也無濟於事，隨著時間一分一秒過去，大夥兒心急如焚，多一秒於困境之內的人便多一分性命的危險。

把六歲以下的人單獨留置，主人忖度自己應可快去快回，盼望車內的寶寶能夠乖乖地不會擅動，不知不覺中卻已觸法，這情景似乎不在少數；違反兒童及少年福利與權益保障法，最高可罰一萬多元。待救出之時，孩童心靈已飽受驚嚇，一切都因大人的輕忽和疏失所致。而在眾人不知如何是好之際，救世的超人出現了，他不一定是警消人員，總之是手持破窗利器的見義勇為者，比開鎖專家更加迅速地破除車窗再來接觸到嬰孩。苦難者終獲得救，剎時周圍響起一片歡呼和喝采之聲。

可是萬一坐在車內的僅是一具像極真人的玩偶呢？還會不會有讓人頓時有著放下心中大石般的愉快？

近年來，歐美流行收藏並維護一類玩偶，將這種假的嬰孩打扮成宛如真人一般，維妙維肖的程度有的不加細察，還難以辨識出來；本來喜愛玩耍布娃娃的人均屬較低年齡層而且以女生佔多數，現在則無分男女，只是以成年人居多數。有的人甚至照顧多位仿真的嬰孩，讓他們看來好像身處同樣一個家庭之中，對於無法組織一個家庭的人而言，達到一種精神療癒的效果。

以種菜賣菜維生的農人，巴不得他每日施作的農物趕快長大，得以增加他的營收，卻又不能揠苗以助長，免得功虧一簣，到頭來血本無歸就糟了；布偶娃娃的主人即使期盼他的「孩子」早日長大，也很難達其所願，僅能望娃興嘆。不過也不用太氣餒，藉由神奇的化妝術和想像力的發揮，讓這群假的娃娃們看起來似乎變得成熟些，好似見人便有話要說，最好也能獲取一個愛的抱抱。娃娃外型的改變，在短時間內使人覺得似乎長大了些或是變得更加年輕，把現實生活中難以達成的夢想，經由對玩偶的操控得以實現，也不用擔憂它們會打架滋事。實現飼養各種寵物無法企及之事，雖然貓狗鳥獸能夠真實的發出聲音，娃娃們卻無清理排洩物以及和主人鬧情緒之憂。

除非在娃娃的體腔之內裝入機械設施，就好像大時鐘內部的布穀鳥會定時出來露臉和發聲，否則人們僅能和它們靜默以對，想像娃娃猶如親生的可愛小孩，值得時時注意，細心的呵護。

課堂怎教

現代坐在教室裏的人還會覺得站在他們面前滔滔不絕的人是來從事「傳道、授業、解惑」的工作嗎？這很有可能，學生下課後請教老師問題的時機，或是在拿著考卷覺得分數不夠高或是覺得閱卷有誤，期待恩賜而有所垂憐的時候，心態才會有點不同。

是這樣的話，那麼一位稱職的教師應該在課堂上採取何種教學方法方能吸引學生的注意力？這樣的自問彷彿有些愚昧，因為不就是把自己的專業能力發揮就好嗎。唸過研究所的人都知曉，每個學期的科目名稱會有些許變動，也就是更改幾個字，但是教授教的都差不多，研究生其實也不怎麼有異議，甚至甘之如飴，大夥兒都想盡快把學分湊足，完成論文好畢業，誰還會想一些給自個兒添麻煩的事。

對於大學生的教學，學校往往進行教學評鑑，意即學生該對授課的老師打打分數，或是提出寶貴的意見，有缺失的地方能夠加以改進，以謀求更高的教學品質。有位專長為光纖通訊的國立大學教師阿明，因為罹患精神妄想症，做起事來可能不按常軌，學期成績的評分標準主要依據學生上臺表演魔術的成果為主，並且在學生進行報告時講到無關的話題像是每日起床如何摺棉被、教室鬧鬼、一夜情和同性戀，或是述及具有性意涵的言語，像講到脈衝反應時說「男生的下面要如脈衝反應一樣」；這樣的上課情況遭人向校方檢舉並不教人意外，學校開會決議把他以不適任為由停止繼續教學的工作，也令人預料得到，可是想想，有哪些話是課堂上可講，哪一些事是不可說，誰又能百分之百拿捏得準，讓人覺得教學毫無瑕疵呢。

從小學到大學，甚至於研究所，除了特殊情形外，大部分的課程都是一位老師唱獨腳戲，這位老師在課堂上的言行就會被人有意無意的檢視，不過教育部最近頒布跨領域或跨科目協同教學參考原則。不同科目的老師可在同一節課共同授課，好比國文老師和藝術老師可以同開一門課，學生能夠同時學到國文和藝術的表演；這樣的模式從中小學開始實施。也許兩人共同教學的優點，能彌補個人教學的缺失。

顯然眾師們上課前要先協調好，方不至於先起內鬨。而以變魔術的手法技巧高低來決定學業成績的多寡，教師應在教學大綱裏事先載明，有了比賽辦法後學生就有一個規則可循，此點殆無疑義；不必等到拿到成績單之後，才去申訴上課的內容和評量方式不妥導致分數過低。高雄苓雅區一間自助餐店，一名女客覺得她只挾了四塊小肉、一樣青菜和一碗白飯，為何要價 70 元？老闆回應她光肉就六十元。消保官的回覆也僅為餐廳應把計價方式事先公告讓客人知道，才能避免購物糾紛。

類似這樣的買賣兩方都不快的事件時有所聞，畢竟一方想多賺些錢，購買者自我的考量卻正好相反，最好能夠多吃少付。電子通訊課能把幾位老師湊合著一起教書，也可把脈衝反應和人體的反應進行連結，說電流通過會刺激人體那些穴位，一定要怎樣去教才算是合理，如此一來，想找出教與學的雙方滿意，還得花點兒時間來琢磨。

衛哨吃啥

內政部的一位署長前往陸軍成功嶺基地視察轄下業務，車行至大門口，因時間已顯急促，大門的衛兵又遲遲不願放行，署長的司機見狀一時氣急忍不住對著在場的衛哨人員高喊「你們都是吃狗屎的」、「我比你們指揮官還大」。

就算挨了這樣的罵，衛兵依舊紋風不動，即使擋風玻璃前貼附著出入營區的通行證，想進去的人還是佔不了什麼便宜，衛哨還動員緊急待命班的人員出來擋駕，直到署長下車出示證件，驗明正身無誤才被放行，不過已經折騰了好一段時間，比預定遲到若干時刻，充分考驗官員的修養。經由新聞媒體的大肆報導之後，署長的司機被調離原來的位置，署長被評為「好大的官威」，而國防部則表示要獎勵當時勇於作為的衛哨兵。

可見軍方高層的立場是站在顧大門口的衛哨勤務這邊。大門的守衛約略是一個營區的耳目，瞻望四方的動與靜，守護著整體的安全，肩頭的責任不可謂不輕，尤其是大型的模範營區。服過兵役的都記得當年背誦守衛營門準則帶來的感受，這種感覺相信不會是愉快的，因為準則裏面所教的遇到什麼人或者何事發生，就該當做出什麼樣的反應以及適時回報。往往狀況千奇百怪，難免有所緊張，菜鳥遇事更會顯得慌亂；不過守衛營門的規則裏寫道，如果穿著上校軍裝以上階級的人來到門口可不予以盤查，其他人都要問明職級，有人便想，難道沒有人穿著高階的制服前來滲透嗎？

進入營區時未久通常看到兩塊招牌，分別寫著愛的教育、鐵的紀律，聽過一位排長講，是寫給外頭的人看的，從裏面往外瞧，則是軍紀似鐵、軍令如山，語氣就相對嚴峻多了，排長的意思是進了營區成了部隊的一分子，服從就是最優先的，至於會不會施行愛的教育便說不準了，一切由部隊長說了算。

這樣的做法自然衍生出一些弊端，不過論起衛哨站崗，負責把守的人員當然不會無緣無故去吃什麼樣的排泄物，所食用的也是五穀雜糧；罵人的或許日常就以此為罵人慣用詞。衛哨人員自感責任重大，未釐清對方身分就不會隨便放行，尤其是成功嶺模範營區的軍事基地，若想進來一定要問個清楚，不然就有虧職守；記得以前剛到成功嶺受訓時，初次例假日我跟前來面會的學長抱怨怎都找不到一台公共電話可對外聯絡，他回說這裏是軍隊啊，要把大砲幾門戰車多少輛說出去嗎？近年來，軍中不時進行反滲透的測試，要是被人進來貼個「炸彈」等破壞性標語，屆時主官都會連帶被處分。

屎和尿都是人體排出的廢物，西方有位總理曾經飲尿來保養健康，科學家們發現糞便的部分菌叢也能用來治病，屎糞二字將來說不定能夠做出巨大貢獻，慢慢脫離令人嫌惡的字眼。當日曾經固守營們卻挨罵的人獲得獎許，這位署長和他的的司機在事發之後離開原來的職位，也算付出代價。經過這起事件，以後內政部所屬的車子進入這營區，門口的人要知會軍方單位，以後營門的守衛也就不會被罵吃什麼屎的了。

新文字學

深受獼猴圍困之苦的寶島南方城市，該市農業局長提出餵養獼猴者應處以最高新台幣一萬元罰鍰的建議，因為先行諄諄的勸告，再來施行處罰已經看不出有何效果。

據國際新聞報導，某人行經印度鄉村，望見一隻懶熊在路邊休憩，竟然如見珍寶般，興奮地想與牠玩自拍，不理會旁人大聲勸阻的情況下，心情不佳的懶熊正是洩怒無處，把此人活活咬死，地方官員獲報後趕來使用吹箭才制伏此熊。看過這則新聞的想法是，印度的鄉下便能輕易看見危及人類生命的動物，在臺灣雖不至於這般容易，卻也得提防被豢養的寵物比特犬。除此之外，令農民傷透腦筋大概就屬猴群的行動。

不想讓猴子品嘗自家辛苦培育的果實，「電網」的使用據農民的說法應最具效果，不過還是擋不住龐大猴軍。來者非客，農民說看過猴子把吃完的果子當皮球踢，讓人氣憤不已；也有人提著一大袋水果上山，路上遇到前後有兩隻大猴攔路，牠們直盯著帶子中的幾串香蕉，讓他急得棄袋而走，才得以全身而退，毫髮無傷。猴子也並不是處處令人厭惡，有人便以寵物待之，二二八事件發生時，有一個人肩膀上的猴子，活蹦亂跳不停，轉移了路口盤查的隊長的注意力，避開了一場可能發生的劫難。

人類也會模仿猴子的行為，爬到海邊的椰子樹上摘取果實；在生物科技方面，繼桃莉羊之後，新近被複製成功的動物就屬獮猴，小猴模樣可愛，不會給人惡感：而且有支職棒球隊就以「Monkey」為代號，身手矯健地演出技冠群倫，戰績經年表現不俗，已多次站上年度的首位。猿猴反應靈敏勝過許多動物，不過現代的人如果覺得與猿猴具有近親關係的話，牠們還真可能是人類的「祖先」。如此的「祖先」往往不會自行耕作栽種農作物，想吃的話，往往集體作業，堂而皇之摘取農民們辛勤的成果，農場浩劫令人大傷腦筋、欲哭無淚。

在泰國有位臉部全被毛髮覆蓋的女性，這種約十萬分之一可能的機率，讓人感覺外觀猶似一個猴人，在剔除臉上的長毛之後就是一位可以論及婚嫁的女性，失卻了猴樣的外貌，與一般女性無太大差異。辭典裏說猴是「形狀像人，頰下有嗛囊，臀部有尾，可用後腿走路的動物」；另部字典說猴子屬於脊椎動物門，「形狀類似於人略小，身上的毛有灰色或褐色，口腔內部有儲存食物的頰囊，行動頗靈活，為群居和雜食之靈長目動物。」雖然沒講「猴乃人之始祖」，外型還算是人類的迷你版。

街道旁的公共汽車站牌有著「抓猴」的意象和用語，並且加上附圖和註解。圖像裏的猴子，穿上人類的衣著，躡手躡腳行止詭異，逮人和被捕的都被塑造成了人。徵信社稱「抓」為藉著手指或爪趾，去拿取某件物品之行為；猴的詮釋則為「當有配偶的人與配偶之外的人發生姦情，當事人被其配偶當場查獲正在進行通姦行為，該當事人應稱之為猴」。昔日守株待兔，今朝守屋待猴。

字之所以成為字，一定是有公認的規則，讓人有所識別；

南投縣有間主祀保生大帝的寺廟，其殿柱上出現許多不明的文字圖樣，大家都看不懂上面的紋路，只能當成神明的書寫，覺得還是要請民俗專家前來判讀一番。而路旁看板上的「猴」字絕非神明所題，該字被去掉人字旁，大概被捉獲的人不被當做人來看，抓字在旁附上注音，去掉人字邊的猴則不知為何音。

猴子很像人，也較一般的動物聰明，卻並不完全等於人，不會鸚鵡學舌，更無法以言詞和人溝通。將猴子沐浴一番後穿上漂亮的衣裳，讓牠招搖於市，向大眾宣稱此為人類的一員，只能當作茶餘笑料，無法取信於民。在印度某省分，有個小朋友常跟長尾葉猴玩在一起，甚且與猴群交換食物，但猴子並不喜歡其他的小孩，可見人與猴之間還存在某些界線；拿食物去餵養獼猴，無形中替猴群擴張牠們的領域，猴子逐步侵入農民栽種的果園內肆虐，農家苦不堪言，絞盡腦汁設法防堵。

在尚未通姦合法化的社會，婚外的不正常感情發展特別是遭到捉姦在床，刑法第二三九條就是原告依恃的法條。猿猴的平均壽命比人類少很多，調皮搗蛋的習性被形容為人類婚外行為的代名詞，使牠又多一層的污名了，但牠們又向誰去投訴呢？

吐鈔大法

「吐」者，嘔吐的舉止也。應當沒人想自發經常性的嘔吐，那代表身體病症的浮現，強迫某些東西由食道移出體外，不讓其於胃內消化，如此一來物質的吸收亦會減少。至於催吐的動作，便是將身體的毒素快速加以排出，避免蘊積於內，加深自我的病情，徒增禍事的擴大。

自動提款機的問世，其便利性自然不在話下，比「無薪假」的發明更令人驚嘆、更應取得世界大獎。起碼省卻了各金融機構於上班時間才能進行的存提款和餘額查詢；當名片狀的小卡插入小洞之中，根據螢幕上的指引，循序漸進按取您中意的選項，或提款或轉帳還是查詢帳戶裡還累存多少款項，很快的現代化的機器可以滿足顧客的需求。照理說，人與金融機構的提款機具進入溝通程序之時尚需通關秘語，秘語的輸入，符合一切章法才會心甘情願的如古代的金庫為阿里巴巴打開大門，毅然決然地且從容不迫由人嘴般慢慢吐出張張的大洋，秘語就是密碼。

每部提款機接受密碼之後的反應速度遲緩有別，並不妨礙提出款項的進行。儘管指紋辨識系統已經出現，而阿里巴巴式的聲控啟門，也已逐漸進入開發階段，觸碰機器藉以取款是現行必要的步驟；運用遠端遙控迫使提款機於定時定點被吐鈔，屬於典型的科技犯罪，據說要越過四十道密碼才成。不可能的事，終經聰明的人腦化為真實。以俄羅斯人為大宗的東歐犯罪集團，入侵第一銀行倫敦分行的電腦硬碟並植入惡意程式，提款機只認指令不辨操作者的身分更不辨人品之正邪，大大的被吐鈔的結果讓老字號的第一銀行栽了斛斗，幾天內損失八千餘萬台幣。類似這樣的犯案模式已造全球金融業至少三百億的損失，縱使警方追緝，無一人被繩之以法，有的國家連犯罪者的身分都難以查明，遑論破案。

至少來自五國，十七位車手來臺接力犯案，此法雖然奧妙，孰料在摸不清四周環境的情況下，賊星該敗，臺灣成為他們作案可惜最末滑鐵盧的地方。最後來臺處理贓款結匯的安德魯，四面楚歌之下來不及抽身，成了辦案小組運籌良久的甕中之鱉。贓款多已尋出，一銀的老闆也表示老舊的提款機將全面換新。

吐鈔的機器將被更新，牽動了一些銀行運作模式的改變，將來犯案的模式勢必也會隨之升級。來臺處理最終換匯的車手該為自己再辦另個護照，以免到頭來難以脫身，前功盡棄，跟持槍去洗劫的後果沒什麼兩樣。經過判決之後，輿論咸認這群在臺落網的老外車手被判的刑期太短，二審又比一審還輕，幾乎每個車手都關不到五年的時光，引發普遍的議論，認為應當修法把他們關久一點，才能警惕效尤之人；不過這群老外既然資訊能力高超，如果能夠駭入共黨國家的部隊中進一步竊知他們飛彈發射的密碼，阻止戰爭的發生，才不虛費一身所長。

火鍍來客

幾乎每日都有火災消息佔據媒體版面，何處發生、傷亡人數，是一般讀者較為關注的焦點；不過如果是非民宅式的火警，反而要更加提防，因為此災可能來得更加險惡且猝不及防。搭載二十四位來自中國大陸、二位隸屬臺籍的司機和導遊之紅珊瑚車隊遊覽車，在桃園機場西側不到三公里的聯絡道上，車身前端先是竄煙，接著引發陣陣的火勢，狂烈的爆火在短短時間之內，迅速地吞噬二十六條生命。

火舌是可怕的，雖非無堅不摧，尚可燃遍萬物，物體遭焚燒過後剩下一堆灰燼，無法再行使用。《韓非子》中子產與游吉的對話提到「夫火形嚴，故人鮮灼；水形懦，人多溺。子必嚴子之形，無令溺子之懦。」把水火的外型比擬可親近的程度，不過鮮少有人願意以自我肉身試煉於火，因為形同身軀進入火化狀態，肉身難以抵擋烈火的高溫。車輛在公路上起火，暴燃為一團赤焰火球時有所聞，並非罕見的事，自小客車在公路上莫名地自行燃燒，緣由五花八門，有的是車子本身設計使然，有的與駕駛的操作習性有關。遊覽車著火實不能等閒視之，因為動輒關乎數十條人命。剛開始大家以為起火的肇因電線接觸不良或是電路負載所致，經由鑑識人員忙不迭地搜索全場，接著發現令人眼珠子差點掉下來的驚人結果，從駕駛員的座位後端和下層儲物間找到共計五瓶汽油。

汽油如果不是用來餵填車子的油箱，讓人不免產生極端的聯想，甚至走向可怖的至惡境界；令人吃驚的事情終於發生了，檢警在事故發生的十天後驗出駕駛員生前飲酒，酒測值達1.075，等於說上路時已是大醉酩酊的狀態，等於拿全車人的性命開玩笑，不排除是企求自殺，接著再找導遊和其他陸客們陪他一起同赴陰曹地府。

法醫的說法是，蘇姓駕駛員在路上，邊喝酒邊開車，這種可能性最大，加上導遊見狀前來制止，結果兩人發生口角，又遇到前座電線走火，不幸的巧合如連體嬰似的緊接著一一出世，導遊率先跑到右後方試圖打開安全門，不料差之毫釐，成了九人堆的最底下一員。沒人救得了他們，除了神之外，豈料神也失算，或者已棄他們於不顧。

沒有任何的生還者可供諮談，所有疑竇，只能走向粗略的揣測；直到中國籍罹難者的家屬們返回大陸後，檢調單位公布了令人吃驚的結果，遊覽車的駕駛因為犯罪遭到法院判刑確立，萌生自殺的念頭，於是全車的乘客被他拉著被火舌吞噬，齊赴黃泉。

事情發生的翌年，新北市一輛善跑一日旅遊的賞櫻遊覽車，回程時因司機太過疲睏，下交流道在急速行經大幅度彎道時無法全盤控制，導致車輛沿途擦撞護欄後翻覆，乘客的死傷不是被火燒，而是沒繫安全帶，紛紛地被拋出車外，有的人的頭部還插入泥土之中；事後檢討車禍緣由，出現駕駛疲憊、車體老朽等因素，比起全車遭致火噬，後者全車尚有四分之一倖存，也都受到輕傷或者大小不一的驚嚇，如果行船走馬有三分的險惡存在，怎樣降低陸上行車的風險，恐怕不是僅有向天禱求，賜予平安。

博館演奇

博物館驚魂夜的景象會不會在現實生活裏演出，如果答案是肯定的話，是驚喜也會是災難。

驚喜的是沉寂萬年的動物終得甦醒，喚起古老的 DNA 序碼，隻隻巨獸可望與世人相會，讓吾等更加了解過去的世間；悲哀的是，古舊生物的再現，會不會將世界打回舊石器時代，將人類帶回與獸類共爭共存的時期，還要茹毛飲血的過著狩獵生涯。印象中臺灣的一些博物館，大多有著古蹟質樸的模樣，就算再怎麼奇形怪貌，基本上還離不開東方人文的風格，特具洋味者則少得多。

若是內部有所陳列的話，走在路上都能看到「xx 博物館」之名，只是有的門庭若市，有的卻純粹養蚊子的。有人說博物館的建立在於追求「大」的概念，猶如嚮往阿房宮式的打造，是有待商榷的思維。然而大型的博物館，在臺灣大約就是那幾座，大部分人知其所在，其中很多是公家單位，預算由政府編列。位於臺南郊區的一座私人博物館，外型蓋得像是美國華盛頓區的白宮，座落於鄉間，頗有美感上的突兀，儘管這類房子在其他各地還被競相仿造，卻有說不出的中西合璧韻味；此外，裏頭的館藏物品幾乎都是洋玩意兒，麻煩的是有不准拍照的規定，遊客只能憑著記憶去留存美好和極其富麗的館藏。還有的特色像是陳列全臺唯一販售特殊千層派的自動販賣機，當然遊客關心的還是館內的擺設。

在臺南的一場以學術研討會之名，行論壇之實的活動過後，吾等一行於主辦單位安排之下前往一直想去的這間博物館，進館之後，原以為參觀完了始行座談之儀，沒想到程序正好顛倒，企業簡介一播映完畢，兩位副館長希望大家提出若干問題。當然，那些來自各國的博物館學者有的人確能針對簡報提出些疑問；接著在參訪的路途中，首先就是動物模型的陳設，還有櫛比鱗次的洋槍排列，以及大批的水鳥展示物。博物館大老闆愛拉提琴是出了名的，所以現場不僅展出一些幾百年前的提琴，還讓人瞭解小提琴的製作過程，還與國家音樂廳的交響樂團合作，參觀者透過個別螢幕看到演奏者的演出，藉以明瞭每項樂器的演奏方式。

可見該博物館的展品的種類甚雜，既有雕塑和畫像也典藏古老樂器，可稱之藝術欣賞處所，又見兵器彈礮，亦有戰爭性質；且能讓人優遊於叢林與動物親近，頗具科學博物館的意象，物件雖雜，秩序分明，可見原先蒐羅的品項遠過於展示物多倍矣，部分則進了庫房庋藏。

由於不能讓人隨意拍照，遊客憑著記憶捕捉場內的景物，卻也不得不萌生疑問，有些藝術的收藏創作雖已標定了創作的時間，是否屬於真實的年代，還很難講。不過閒蕩於館內，與活靈活現的標本四目相視，還怕會重蹈博物館驚魂記的情節。國外尚有失戀博物館的存在，裏頭陳設著鏡子、圍巾、皮夾，說明物品主人投奔小三或小王留下後留下的東西；令人心驚肉跳的還有噁心食物博物館（Disgusting food museum），因展出物之逼真令人咋舌，參觀者看與聞之後，往往胃內翻滾奔騰，是故可於入館時獲得一個塑膠袋，以備不時之需且維護場內清潔。

不過參觀這個館不致令人噁心，只有幾許讚聲，覺得今後想看到雲豹石虎絕跡物種恐怕僅能在博物館的展場中；如果感嘆許多動物只能在博物館與牠們相見，那更加凸顯博物館的重要性，縱然僅為標本，傳達了許多珍貴的訊息。坊間許多自封博物館之名，展物卻少得出奇的空間展示，但也提供市面上少見的或絕跡的物品供來者觀賞，就像製造某種食品的機器，早已無人使用，也無法製造出任何可口的食物供人品嘗了。機器的存在，透過私人博物館的展出，得與世人重新相見，算是美事一樁。

臥冰求鯉

百善孝為先是很多人掛在嘴邊上的話，可見古來對孝道的重視，期望子孫心有所感，體會這種至高的美德，沒人希望後輩對自己不孝不敬，自己就應率先為之。《二十四孝》是本老幼男女尤其是讀書人皆知的書，從書名便知所要傳達的訊息；它的真實作者是誰，已經不易考證，其藍本大概起於元代楊氏之手，再經由明清兩代文人的添潤，一幕幕的「民間故事」方以流佈後世。

以現在的眼光來看，儘管每則故事無不勸人為善、克盡孝道之禮，有些布局仍不免落於荒唐無稽，難行之至，其中以晉代王祥求鯉魚的事跡最受議論；王祥雖然受到繼母虐待(二十四孝中多位苦主不是受到父親暗算，便遭遇後母的凌虐體罰)，依然遵奉「孝弟也者，其為仁之本與」的精神，決心顯揚孝道，隆冬時節趴臥於冰凍數尺的河床上，讓他自身的體溫融化厚冰，使鯉魚得以從冰洞中躍出，讓王祥的後母在隆冬裏依然能夠嘗到鮮美食物。

二十四孝裏有幾個案例都是用食物或水果來侍奉父親或母親，傳衍出代代的佳話。然而鯉魚原產於歐亞大陸，並非各地的人都覺味美可口，但是王祥的母親想吃，王祥設法去獲取，基本上就是孝道的表現，過程是否荒謬突梯，後世的網路評家有什麼反應，當事人和《二十四孝》的作者也無從辯駁；只是以科學的角度來觀察，以光溜溜的身體貼近嚴冷的冰面，促使其融出洞來，身體要產生高度的熱量，這非常人所不能及也，而冰融見魚，出現的是鯉魚，也係巧合。

王祥的「孝行」應是出於晉代干寶的《搜神記》，裏頭就記述王祥解衣之後，「冰忽自解，雙鯉躍出」，既是《搜神記》所錄，難免啟人疑竇；正如該書還寫著某人死後其妾被迫與之同葬一穴，多年之後，墓穴開啟，見其妾尚有餘溫，經過醫治後得活。

現代人也有冬季在湖面上抓魚的活動，在南韓江原道華川郡所舉行的就屬其中一例，湖面結冰的厚度有三十公分，主辦單位在湖面上鑽 2.1 萬個洞口，施放 170 噸的鱒魚而非鯉魚，遊客們以垂釣或是徒手抓取的方法去捕捉而不是裸身貼於冰面之上，每人限捉三條魚，捉到的魚可請主辦單位現場製成生魚片或採用其他的方式料理；王祥及其母親如果活在當代，又改吃鱒魚就不用冒著凍僵的危險了。

二十四孝中還有一位楊香，為了要解救父親，不惜冒著生命危險，臨時扮演武松的角色，一躍而上虎背接著使勁揍牠，可能大蟲也被他的孝心所感，放棄食肉的特性，悻悻地夾尾逃開。

楊香與王祥的能力都以超乎常人的想像，近乎超人一族，無論如何，孝道的行為，後世還是得繼續發揚才好。

巫師擋彈

川普和金正恩會面之後，國際社會對於北韓葫蘆裏要賣什麼藥，還是搞不清楚。不過在早些時候，聯合國安全理事會通過要進一步對北韓採取制裁措施之前，北韓的最高領導者金正恩為了暗殺他的哥哥金正男，得以更形鞏固權位，著實花費不少心血，先由國內的軍事情報單位指揮駐馬來西亞大使館予以配合，接著收買馬國當地青年男女，反覆操演，讓毫無警覺的金正男，來到機場之後成了一隻入甕之鱉，被沾有劇毒的物體抹上了臉，不消片刻整個人便無法呼吸上了西天，可見毒計(劑)其毒甚劇，下手的特務心腸多狠。

與一般社會主義國家相較，中共和前蘇聯扶植的金氏政權使北韓顯得更加封閉，現在觀光客略微增加，參訪過程中的「注意事項」還是不少。不但不能洩漏獨裁政體的機密，也得顧及當地百姓的「尊嚴」，不是像自由世界中拿著相機可以隨意拍攝。雖然金正恩派出大官和他的親妹妹參加 2018 平昌冬奧，關於他們日常的生活狀態，大家只能靠蒐集到的幾點情報來臆測。面對國際各方圍剿的聲浪，金正恩也不太在乎，覺得只要發展成一個核武國家，就能擊敗美帝和歐盟集團，稱霸全球。然而三不五時便朝著東邊亂射飛彈，讓日本緊張得不得了，深怕弄假成真，朝鮮半島還沒開戰，自己就成了受到波及的倒楣鬼，雖然日本軍方也想攔截飛彈，考量再三還是怕技術上出糗，只得選擇繼續吞忍；美國在南韓部署薩德飛彈，想當然爾容易激起北韓的憤怒，揚言要再試射更多飛彈。

金正恩與川普為了核武互嗆，雙方還比誰較有勇氣揿下啟動核武的按鈕，而北韓跟馬來西亞外交關係向來甚好，且互設使館，不過在謀殺案發生之後兩國關係就變得緊張起來，馬國沒想到北韓敢派人到境內來作案，而且是轟動國際的命案；讓馬國在面對反北韓的國際陣營面前顯得好不尷尬。

自稱馬來西亞巫師之王的依布拉辛‧馬金，拿著幾顆椰子用木棍串起，宣稱以此作法能抵擋來自北韓的導彈，他人長年在馬來半島，是金氏王朝不會想去叨擾的地方，何況兩國還有正式邦交聯繫。巫師說他要是作起法來，可讓北韓打來的核子彈頭改變方位，不是噴射進入外太空中就者是方向朝下沉沒入海，或是轉變方向改而侵襲他國領域，反正就是不會打到自己國人身上。

北韓連美國的警告都不怕，豈會畏懼軍事潛力在世界上排名第二十八位的馬來西亞？而依布拉辛阻止殺害人類悲劇發生的精神基本上是可敬的，甚至有資格問鼎諾貝爾和平獎的獎項，然而馬國政府的執法者卻不作如此想，他們深覺依布拉辛的行徑過於怪誕，違背宗教精神，製造社會混亂之嫌便將他逮捕入監。是否能夠真正地擋住飛彈的入侵，則無人能得知確切的訊息，因為北韓並沒有發射飛彈攻擊馬國，兩國的外交狀態在解除若干禁令後已恢復正常。

美國中情局長說，北韓持續將美國視為假想敵，不斷研發打到美國各大城市的飛彈，此舉可能引發第三次世界大戰。如果依布拉辛的功力是真的，大家都希望很多方面都能獲得他的襄助，完成難以達到的計畫。

垃圾食物

曾經與我國建交又匆匆斷交的大洋洲小國萬那杜，當地政府宣佈自 2017 年 3 月之後不再進口碳酸飲料和餅乾，尤其是官員集會的場合更不會供應這類食物，政府鼓勵百姓多多食用當地出產的魚類、龍蝦、椰子和檸檬汁；過多的含糖飲料導致肥胖、糖尿病等慢性病的產生，也讓學童的齲齒率大增，不只是萬那杜，也是泛太平洋上眾島國人民面臨的健康問題。

常人一天食用多餐，內容物不盡相同，無論營養不足或過剩，填飽肚子乃基本原則。至於垃圾食物，簡單來說是看似美味，讓人忍不住嘴饞，實則純粹增加體內脂肪，形成暫時性溫飽的東西，營養價值甚低，吃得太頻繁會導致慢性病的發生，不知不覺中有害的物質進入我們五臟廟裏，一時難以察覺。長期飲用珍珠奶茶的一位日本籍教師，不久之後經由體檢發現原本健康的身體出現了脂肪肝，是過甜的東西帶來的結果，慢慢地威脅了健康；醫學研究指出，邊吃雞排邊操作 3C 產品，久而久之視網膜不免受到高度傷害，因為壞的膽固醇不斷累積。傷害身體的食物令人難以抗拒它的誘惑，直到器官報銷，才有所憬悟。

沒有一個政府希望自己的國民看起來都病懨懨地毫無生氣，影響生產力和國力；一位專研六朝文學的中華文化愛好者，夫妻倆同逛清晨的菜市場，太太發現幼年的美味田螺再現，不覺喜出望外，以為回家端上餐桌，會引發兩位兒女的搶食，不料這對小朋友吃了一兩顆後便以央求的口吻看看能否不吃，文學家夫婦倆從喜出望外變成大失所望，他們沒想到時代的遷異使得兩代對於同一食物的認同感截然不同。

田螺好吃嗎？看路邊的賣螺商家還將它們從大辣到不辣分成好幾個等級出售，舉棋不定的遊人還可以先行試吃一番，不過試吃完了是否再行購買還是依舊舉棋不定，恐怕跟這種田裏來的滋味較為無緣，得另行尋覓偏好。同樣的食物如果天天品嘗，時間一久也會失去新鮮感，甚至感到厭煩；站在營養學的立場，也無所謂垃圾不垃圾的食物，端看吃的方法而論；而被冠上垃圾二字的食物，本身應當富含人體不需的油脂或其它不該攙加的配料，過度的食用除了囤積脂肪，恐怕也造成心血管或其他器官的病變，所以食用份量上必須慎重對待。之所以「垃圾」等級的東西讓人想吃，因為它披上美味的外衣，挑逗饕客的味蕾，甘願為了它來果腹而掏盡荷包。

外來生物

中國貴州世界最大的現代化天文望遠鏡，試圖發射電波到距離一百三十七億光年以外的地方，希望尋求其他星球生物的回應；此舉與英國物理學家霍金的想法背道而馳，他一向主張「不要對話、不要接觸、不要聯絡」的「三不」政策，是為了保護地球生物避免受到恐怖的殲滅。

地球之外的星球，存在著何種生物，他們的廬山真面目如何始終讓人充滿好奇，就好比對於鄰居生活百態的觀察一樣，僅能猜測、想像，無法窺其全豹，何況是距離那麼遙遠的生物。美國內華達州的 51 區，似乎隱藏著關於外星世界的秘密，被列為高度的機密，外界難以得知。

平素在言談中，若是聽到有人說「你是外星人喔」，通常都不是尊重別人的話語，表示對方與地球人的行為大相逕庭，兩者相處於不同的世界中，摸索著如何溝通；卻也顯示出人們對於地球之外的一切生活現象並非完全瞭解。

「非地球人」有無可能忽地出現在你我的身邊，很難得出一個是或否的答案，因為不知會以何種面貌示人，歷來的影片，其真實度頻受質疑。不久之前，一名女子駕車於加拿大魁北克的山林路徑上奔馳，一隻路旁吃草的駝鹿吸引了她的目光，覺得吃相甚為可愛，於是她把這段動物用餐的畫面進行錄影，重點於駝鹿進食之際，牠的背後數十公尺之外有一白色類似人型之物正對著駝鹿虎視眈眈，似有獵捕的意圖。

影片一 po 出之後，網友普遍以「畫面品質太差」或「影像過於模糊」來評價，不敢妄下斷言。以往偶有幾個人說出曾經與外星來的生物近距離接觸，還看過他們的飛行器，不過最後難以獲得證實。既然談不出具體的形象，難以得出統一的標準，便把想像融入第八藝術的演出，亦無傷大雅。電影《魔鬼終結者》，敘述的就是外來的物種在地球上火拼廝殺的過程，拯救地球人還得靠正義使者，最後惡者遭到爆裂或融解而永遠動彈不了。解救人類的機械人暫時居於上風，最後可能也跟著外來殺手同歸於盡；外星來的訪客們可以隨心所欲地變成一般人或其他生物，儘管這是想像中的科幻情節，科幻的故事也有可能成真，只是誰也說不準。

美國 NASA 經過十幾年來的努力，從火星表層傳回的影像判斷，火星的表面有張類似人類臉孔的物體，也有人面獅身的建築體和很像埃及金字塔的東西存在；科學家最早是在該星球上發現有水流動的痕跡，懷疑生命體的存在，感覺以前是否地球人早就拜訪過? 而人臉的產生，是該星球在示警還是表達歡迎降落之意呢? 或者人類原本曾於火星生活一段時日，基於某些原因，再行移居至地球的?

有位俄國的年輕人，叫布里安•揚斯基，自稱前世即為火星上的居民，認為火星的條件極宜人居，地球上的一些古老巨型建築，考古人類學家還在猜測當初怎麼蓋的，布里安就大膽的斷言，是火星上的那群「人」前來地球協助興建。既然火星人為地球上的景觀建設做出很大的貢獻，那他們在自己的國家興建和留存同樣珍稀的建築體以供後人品頭論足，也是很有可能。

科學家們還能深入觀察一下，看看上述幾個疑點是否有破解的可能。太空觀察者又發現外星人如果存在的話，他們平日賴以為繼的食物種類令人好奇，其中不外乎是屬於天然資源或是不需詳加烹調的。

誰需裁判

球團的大老闆於球季結束過後，宣告將陣中多位主力年輕球員予以「釋出」，除了表示戰力的調整，再則「看看美國和日本的職棒，哪有人邊喝酒邊打球的，沒有嘛，比賽就是打球，不能有其他的東西。」

講得十分義正辭嚴。過了幾天，球團母企業的公關再出來打圓場說，董事長的意思是參加國際賽事的前一天，大家其實不該聚在一塊兒喝酒，以免影響成績表現。

兩種說法的意義相差何其大，輿論界似乎也不太關注這種差異，因為財大氣粗，想怎麼說怎麼做沒人管得著，至於要派誰來管理球隊，別人也說不上話。引進美式的作風，以為可以一雪前恥，擺脫連續好幾年的亞軍，沒想到成績出現極大的反差，年度戰績更是墊底，更換球隊領導者的聲音此起彼落；最終，美國籍的總教練也捲包袱走人了，球隊也釋出若干球員。老闆求勝心切，球迷們可以理解，是否開革員工就能促使戰績上揚，觀眾也在關注。球迷不僅是啦啦隊，幾乎就是另種類型的裁判，精彩之處可以報以掌聲，荒腔走板的時候也能給予噓聲，自己加油的球隊如果連敗的話，在臉書、推特上要求總教練和領隊要下臺。

戰績一直處於不理想的狀態，就算自己不想離開，球團也會命其扛責。而幾乎所有的大小運動項目都有正式的裁判，裁判肩負重責大任，卻不是向任一球團的老闆負責。裁判的的工作無非是維持比賽的公平性，勝者贏得賽事的勝利與榮耀，落敗者心服口服打包走人，全憑裁判的執法才能獲取全體的觀眾的信賴，一切要有規矩才能服眾。比賽有規模大小之分，裁判介入各種比賽的程度也不一，好比桌球、網球、排球，落點只要在對方界內不掛網，大概就有得分的樣貌了，足球的踢法可用腳、頭部或胸去頂，怕的還是神來之手，裁判可能沒看到或是不想吹，輸的隊伍就顯得很冤。當過籃球國手的體育老師告訴我，籃球比賽因為敵我距離很近，大家動作又很快，兩位裁判看到的犯規情況可能不太一樣，甚至於完全相反，這是觀察者站立位置角度的關係。

我國現有兩個籃球和棒球職業賽事的球類活動，籃球還好，不需好壞球的判準，球員持球投籃，球一旦蹦彈入網，概算得分。棒球比賽是先由投球者將球丟給打擊者，打擊者於極為短促的時間內，決定是否揮棒擊球。既然如此，通過本壘區的球，好與壞的認定，便需一位公道人士來指明，遇到爭議雙方才能心服口服。

當投手使出全力讓手中的球通過本壘進入捕手的手套，站在捕手後方的主審裁判除了注意迎面而來的速球，還要注意打擊者的反應，因為他可能出手揮棒，但動作並不顯著，主審或捕手還得請示一壘或三壘的裁判意見。顯然主審的工作並不輕鬆，棒球比賽絕不能沒有他。

觀諸棒球賽中，發生球員或教練與主審最易發生爭執的，繼而以身體頂撞主審而遭到驅逐出場的，無非是對於好壞球的認定。對於一顆球的判定，都有可能影響到比賽的全局；快速飛奔的球，進入捕手手套後，將被很快裁定為好或壞的球，而裁定不免帶有很大的主觀。現在有電視輔助判決的決斷，各個壘包若是發生「人與球孰快」或是界內、界外球的爭議，可以審顧球場攝影機錄下的畫面，除非是位處每個鏡頭捕都捉不到的死角之處。但是，裁判們表示：「好壞球不得抗議」，當球從投手的手裏離開後進入捕手的手套，主審瞬間就要做出裁決，其主觀因素不言可喻。

挖山養魚

很早以前，一直以為齊柏林這三字與東方人傳統的名字相去甚遠，感覺上少了點土味兒，卻都手持攝影器材，記錄著這塊鄉土。這位齊柏林先生喜歡搭乘直昇機，從座艙向外拍攝他雙腳下的全景。齊柏林深受廣大群眾的喜愛，不意因為天候和駕駛員個人因素，一陣天旋地轉之後，機身已然失控，方知踏上死亡之旅，留給後人幾許懷念。從他去世後兩週所舉辦的紀念特展，門內門外繞行的人潮就可知對其崇敬。紀念特展的會場選用一幀他生前上半身露出直昇機機艙之外手持相機的照片，說明他工作性質的偉大和敬業的精神，也十足具高度危險性，危險程度不亞於礦工和傘兵，危險到可能保險公司不敢讓他保，因為他的工作比走百米高的鋼索底下不鋪安全網還教人心驚驚。

往往美景錯過難再尋，而鳥瞰秀麗山水賞心悅目，卻往往凌空飛馳，一眨眼就擦身而過，徒留嘆息。為了擷選腳底下真實而廣闊的視野，齊柏林堅持自己手持攝影器具紀錄直升機騰飛而過的影像，而不採用空拍機的操作方式，如此一來也讓自己陷入極大的危險之中。齊柏林拍下了財團為了開發水泥事業不惜把座座美好的東部山嶺挖掘成處處窟窿，教人慘不忍睹，也希望財團能就此罷手，使景觀盡量保有原始樣貌，有了原貌，自然生態才得以保存。

身故之後的齊柏林近來又爆紅，在選戰氣氛濃烈的當頭，竟有候選人的顧問團名單中出現他的名字，可見這三個字帶給民眾還是正面的形象，不過要讓已經分隔陰陽兩界的彼此如何意見交流，鐵定是要煞費心思。而想要蓋座飼養魚類的場所，其所需面積可大可小，完全依所有權者的需求而定。水泥廠的老闆即使對外如此宣稱，大家對他講的話還是半信半疑，甚至建議政府取消持續採礦的權利，除非經過進一步的環評。將來的法令，也確實將愈趨嚴格於環評的執行。面對新一波礦業法的修正，水泥廠趕緊表示會持續溝通，與附近的部落能達成共存共榮的境界。

挖山的目的明顯就是要掘取更多製作水泥的原料，動機可以理解；當然也可以投入魚苗，養殖魚類，一方面可供個人遊賞，或者撈取漁獲進行市場交易，可是科技業的大亨會以此牟利可能性不高；政府可以規範想在特定區域內挖山養魚的人，他們的住居就必須位於鄰近的挖山之處，與田野為鄰，好好思考挖山挖坑的必要性，更能進一步珍惜周遭的草木。

盲的契機

「眼睛是靈魂之窗」，是大家誏誏上口之辭，看書報還是看美景，都要依賴眼睛，方能知其形狀，沒有了視力，好像就活在幽暗的深谷，該怎麼走，只能摸索著前行，極不便利；即使深谷中遍植百花，也僅聞到氣味，看不到枝枝草草的樣貌。

雖然電腦周邊設備的演進已經提供了視障者較為以往更大的方便，距離正常的操作者仍有一步之遙。往往眼睛癢、痛，其他不舒服的感覺前來拜訪的時候，才會體悟到那兩隻眼的存在。年齡的增長，眼睛的毛病也會跟著增加。據統計，造成視力喪失的原因，白內障居於首位。

眼科醫師說可以從前來看診的病人眼中，不僅看到眼疾，也可瞭解他的生活樣態，眼睛的檢查，可以透露許多其他部位健康與否的訊息。人類僅有雙眼，不像海鮮扇貝擁有兩百隻眼睛，運作的模式猶似天文望遠鏡一般的精密，因為每個眼睛都含有一個微鏡面。眼睛存在的目的就是要去看眼前的東西，無論是近的還是遠物，也要能看得見親朋故舊，或是不速之客逐步逼近方為重要，至於太多的眼睛會不會妨礙生活起居，恐怕得去問問扇貝，看牠的親身經歷才能知道。

看不見眼前任何物品的人，終究要生活在黑暗世界裏，要想走出黑暗，還需要其他物件的感知或他人的牽引；電子眼的出現很可能給盲人帶來一絲希望，為何僅是「一絲」之福音，畢竟還只能看見物體概括的形貌，而非全面且真實。像一位視障者高先生，戴上人工電子眼之後，想吃桌上的蘋果時，已可瞧見它的輪廓；當他的太太走近時，可感受到一個低矮「圓柱體」的靠近，手機發出響鈴的時刻，由於螢幕同時發亮，也能辨識出機器的大略形狀是一個長方形。

另外一位左先生，長期罹患「色素性視網膜失養症」，戴上電子眼之後，情況更佳，已可大致看到兩歲兒子的臉。電子眼的主要裝置分為電極晶片、訊號（影像）處理器和影像的處理器；高先生的視覺反應讓視光專家感覺到產品的效果以及復健的療效。不過，必須是視網膜神經未受損害的人，才能接受人工電子眼手術。電子眼裝置距離可以窺見物體全貌，尚有一段路要走，而且價格昂貴，不識一般人負擔得起。畢竟，科學技術日新月異的時代，電子眼的問世帶給視障者，看到一絲的光明。

滷味 920

《海角七號》的導演感嘆墾丁人潮的沒落，列舉幾個因素，其中跟吃的價錢值得注意一下。網友在墾丁大街買了兩盤滷味，價格不斐，如果事先沒弄清楚單價，拿到帳單著實讓人大吃一驚；發票上顯示為 1845 元新台幣，該連鎖店的老闆則稱僅為六百多元；網友點了科學麵四包、四季豆兩串、高麗菜、小玉米、蝦捲、芋粿、鴨血、海帶三個、豬皮、雞屁股、大豆干、鐵蛋、小香腸。業者指出蔬菜時價一兩 15 元，肉類一兩 45 元，標價都在餐檯上方和紙上，如有疑問當下可提出。

證據在手的話，一盤的價位即可揭露，勝過長久的雄辯。有的人不願當場提出質疑，因把在某夜市就把一盤黑豆干入鏡，隨後置於臉書上，讓人以為「一盤沒幾塊豆干怎會價值一百元」，經業者喊冤後再查，才得知這是已經被吃得差不多的一盤，這類栽誣玩笑還是少開為妙。

通常，業者對於自家所販售的食物會說該店所列「價格還挺合理」，有意見的人不須上網對咱家的店來口誅筆伐了。只是有些網友說吃了才知還蠻難吃的。以致吃了除了荷包大傷，並無享受人間美食的感覺。因為是四周找不到其他餐廳才來這裏吃。

開餐廳無非希望大家都能來光顧，而非怕人來吃；價目表列出的菜名和價格如果顧客對於價錢無異議，並且點了來吃，雙方宛如達成一項飲食契約，吃完了覺得未達所值，再生齟齬，鬧上警所或 po 網昭告天下，絕對掃興，也浪費許多寶貴時間，亦不免掃了自己接下來四處遊賞的興致，網路上看到的人也不一定挺你，覺得你事先沒把價錢看清問明，日後你看到了攤商都覺得是奸商。

不是只有墾丁，之前士林夜市有新加坡遊客購買四顆鳳梨釋迦，被索價 1800 元新台幣的情形，購買者不願食用天價水果，憤而投訴，事情才曝光；高雄六合夜市販售烏魚膘的一間海產店更絕，標價上寫 160 元，識貨者以為來到高雄賺到，沒想到結帳時發現要付 1680 元，當下傻眼，原來 160 是烏魚膘每兩而非一份之總價。

有人到逢甲夜市看到燒烤架上碩大的魷魚，再瞄一眼定價，覺得世上怎有如此傻瓜的老闆，自願以虧本營業，等到指定的魷魚上桌，才明白只能品嘗到牠的腳而非全身，發覺原來傻瓜是自己並不是老闆，吃興就大減了。

業者和顧客的利益點是不同的，甚至是相反，訂定售價的人當然希望價錢賣的高，吃東西的人可不這麼想，只要有消費市場存在，糾紛就不會停止。面對不合理的高價物品，顧客還是事先思量買與不買。

壽與不壽

報上的健康專欄列出幾點生活上變成習慣的負面動作，這些舉動年久月深對於個人身體健康是一種摧殘和折耗，逐步減損自我的生命而不自覺；一旦健康情況逐漸走下坡，豈能奢談得享高壽遐齡。這些小細節包括喜歡咬手指甲、每天坐臥時間太久、忽略人際關係、不重視口腔衛生、長期服用安眠藥、喜歡吃爆米花、睡眠時間過長、觀賞電視的時間過久。

其實我們可以理解不良的生活習慣並非止於上述八種，像是不愛運動、沉迷於網路電玩、貪好杯中之物、置身煙槍行列和長期嚼食檳榔等。顯然，長時間耽溺於不好的習慣之中，無形地斲損自我壽命而不自知。

如果訪談人瑞問起長壽的要素，他們給的答案不見得適合每個人，甚至於有些是令人驚訝，在認知裏像是長期睡前飲用酒類藉以助眠的事，還有百歲高齡的老婦，表示每日將可樂當水喝，且嗜吃油炸的薯條。不過，有一些影響自身壽命的不佳生活偏好，就是公認的護身常識，好比常咬手指甲，很容易把細菌帶進嘴內，所謂病從口入，病毒既能潛入嘴裏，隨著食道載浮載沉深入體內，接著就能使人生病，既然習慣難改，試著訓練他「以口就腳」，自己嘗試著咬咬腳指甲看看。

有些人沒吃安眠藥則難以入睡，吃太多安眠藥不但被人懷疑要尋短也會讓人睡得更加昏沉，也更浪費很多寶貴的時間。藥效延長到造成白晝精神不濟，可是又不能不吃，否則整晚呈現胡思亂想狀態，除非找專業的醫師調整藥方和劑量，依賴藥物的結果容易成癮，口味愈重。如此一來跟「睡眠時間過長」殊途而同歸，身體如想動一動的話顯得疲軟無力，進而產生其他的病症。同樣的，「每天坐太久」與「觀賞電視的時間過長」二者也是難兄難弟的不利因子，現代人操作電腦有時也忘記了休息片刻，類似這樣目不轉睛地長時間注視 3C 產品，對於身體健康的影響就不用多說了。

如果把長壽秘訣列舉十大要項，前幾項如唱歌、舞蹈、打太極拳、練外丹功等等，看來都驗證要活就要動的真理。對於即將參加考試的學生，有人提出「不要過於注意他人在做何事」、「保持正常作息」、「均衡飲食和適度運動」，而且要自我肯定等策略，藉以度過考關；考生想要得到好的成績，上述的策略值得參考，若是想要延年益壽的話，差不多也是這樣子。

上下相欺

波斯尼亞的 podgora 城居民普遍認為，選舉前各黨候選人所開的口頭支票到了選後往往跳票的比例甚高，該城市的建設向來被當局漠視，有的還維持二戰前的原樣，好比整個城連一個垃圾桶都付諸闕如、路燈壞了還要鄰近住戶自掏腰包去換，也沒有公共汽車，對於選民的服務實在糟透，所以居民們體認到以後不要隨意讓政治人物進入他們的城中。拒絕政治人物進入他們的生活圈，對政治活動顯得無感，這種作風十分有勇氣與魄力，對照現代許多人無不設法貼近機關首長和代議士，試圖獲得一些好處，難以想像有人會將其拒於千里之外之理，podgora 的老百姓想給某些人一點教訓。

這樣的政府顯然效率太差，才會使人民感受到自身不被重視，明的暗的頻頻吃了暗虧，沒有動作實在不行。不過有些國家看起來百姓生活應該不錯，對於政府的作為應當謳歌禮讚，至少媒體呈現的一面是如此。話說中國國家主席習近平抵達吉林省松原市觀察生態保育狀況，發覺查干湖的漁民打撈上岸的魚兒碩大肥美，眉開眼笑地說「年有餘（魚）慶」等語；經由其他管道披露，前一日的查干湖附近全面管制，為了「迎接」高級領導的駕臨，從各地五湖四海運來各樣的魚，傾倒入這個湖中，第二天展現在總書記眼前的捕撈情形自然是大規模的豐收樣貌，看來是一派皆大歡喜的場面，漁民不僅要感謝上蒼，也要感激領導的恩澤。孰料，內幕卻是怪異隱含。

1950 年代的中國大饑荒年代，毛澤東下鄉視察，相傳他到湖北一處鄉村走看，看到的卻是五穀豐登、不愁吃穿的姿態；幕後抖出的消息是，在毛尚未抵達之前，該的被布置成把附近所有的水稻全部集中到他要看的幾畝田上，集中後的稻田景象，人們踏足而上都壓不倒，使得「糧食都吃不完，豈有饑饉發生」的官媒評語出現。

不僅是共產中國，一般民主國家也不乏對於上級虛偽應付的案例，因為不但想要保住自己的飯碗，也想擁有美好的前景，以致一切均要壯麗美好，實情需要修飾添加不容擺爛。

有的國軍將領卻很明白所屬轄下的內情，這個特殊行業也有不少眾所周知的祕辛。既為公開，就沒什麼好遮掩的；細心的將領想到要用無預警視察這一招，因為唯有採取突襲訪視才能看到真實的生活面和戰鬥面，不然大家始終處在虛偽與造假的漩渦中打轉。郝柏村在他穿著軍裝的時代，於一次演訓中對著台下眾官兵致詞，說「你們今天的演習不是做給長官看的」；問題是，一切的訓練成果若不是給長官看，那又給誰看呢？習近平和毛澤東在視察過後是否瞭解自己被下級刻意的唬弄，視聽遭受了蒙蔽等等，這方面除非情報單位轉達，那兩人也不易得知。

墜車餘響

加拿大的饒舌歌手喬恩在拍攝 MV 時為了製造特效，在小飛機飛行時刻意行走於機翼上，驚險的浪漫，本應創下一些人類的紀錄，不料走著走著一個重心不穩，自高空穿過雲端跌落而下，降落傘亦來不及打開就滾落草地上，宣告一命嗚呼，再也無法逞威耍帥；相較於表演者在空中的危險度，搭乘陸地上的車輛，如遇猝不及防的意外其實也容易掛彩。雲林縣一間宮廟舉行年度廟會活動，為求熱鬧一下人神同慶的現場，不惜花費重金邀請地方上著名的鋼管女郎車隊前來，希望藉由眾女郎們載歌載舞的演出，吸引更多前來頂禮膜拜神明的目光。

不知是否神明有意開個玩笑，就在一排吉普花車上的女郎正隨著滾熱的音樂聲開始扭腰擺臀之際，當中一輛突然在前行時暴衝失控，不但撞倒路旁幾輛摩托車、傷及幾位專心觀看女郎演出的民眾，正在表演的女郎也頓時止不住腳步，從車頂上摔落路旁的草叢，幸而只是腰間和手肘部位的挫傷，經由送醫包紮後並無大礙，不過當天確已不能再看到她優美的舞姿了。

廟會活動請來鋼管或是花車女郎表演助興的場面並不少見，但是表演者因故從車頂掉下掛彩的事件實在不多，以前曾有鋼管舞的女郎於車頂倒立迴旋時雙腿一時未能夾緊那支鐵柱而失足掉下，那是在慶賀男友光榮退役的私人派對上，而不是大型的公眾場合。此次，經查當時那位闖禍的駕駛員，實際年齡還未滿十八歲，顯然已是無照駕駛，違反道路管理處罰條例，對自己或者他人均已形成安全上的威脅，荷包將大大失血之外，也該接受道路安全的課程講習。

網友 A 君看到這種消息，有感而發，說「警察平素抓各種違規都蠻嚴格的，到了特定的活動場合，就出現暫時性的失明」。其實，不只是宗教上慶賀活動，像是春節或是大小選舉的展開，雖然司法單位聲稱法律無假期，看到的卻彷彿執法人員逢事就像在練打靶－ 睜隻眼閉隻眼。過年期間鬧市裏的聚賭活動之所以延續而不衰，執法人員也不知在哪裏，間接坐實了原先大膽的揣測。如果事先需要查驗駕照和盤查駕駛的話，暴衝的意外或許能夠避免，受傷的人反倒應該感謝嚴格的執法。

鋼管舞的女郎有時要頂著大大的烈陽，以及冒著風雨使勁地擺動身軀不懼惡劣天候的賺取鈔票，其情雖可憫，不過方寸之地成為表演的地方，稍有疏失，可能造成肢體的傷殘成為終身遺憾。網友 B 君頗有見地的說，「別再跳了，神明是不會看的」。神明有無觀賞這群女郎們的鋼管秀，凡間的信徒並不知曉，就如同平日大眾前往廟宇參香禮佛，向大殿的仙佛祈求、祝禱，那高坐大殿之內的神尊有無聽取大眾的聲音並努力的回應一般，恐怕要幾許「慧根」的人才能感應得到。

站立於神明面前虔誠默禱的人們，有無感受到上蒼賜予的力量，惟有個人能夠體察得到。《禮記•樂記》中云「觀其舞知其德」，鋼管舞女郎應不會盼望著進官衙當差，想的是青春不要留白和口袋中的麥克麥可。既然有心於藝術的演出，建議她們在熱舞之際，最好於身上和鋼管之間繫上一條的繩索，以維舞者自身的安全；畢竟，佇立車子一旁的觀者雖看得目瞪口呆，惟不想等到驚呼連連後趕緊去救美。

藏牙於壁

美國喬治亞州有座商業大樓，上個世紀初就已蓋妥，每個樓層都分租給不同行業的人使用。大樓有個樓層被兩位牙醫師所承租，可以想見用途應為開設牙醫診所，以發揮他們的專業技能。幾十年過去，房子已顯陳舊，原先租屋的房客紛告離去，尋找市區精華地段更加新穎的大樓繼續他們的事業。舊有的大樓慢慢人去樓空，帶著半廢棄的味道，房子的所有權人試圖將它重新打造，由平地而起，再創一幢嶄新大樓。

屋宇拆卸之時，於當年那兩位牙醫師執業的樓層，一面牆壁之內挖掘出大量的人類牙齒，咸信這些牙齒都是因為蛀壞、失去咀嚼功能或其他原因，被醫師自病患口腔之內所連根拔除，內容物包含門牙、犬齒、小臼齒、大臼齒，清過清查數量多達千顆以上；因為只是人牙，不是命案所致，檢警也無採取進一步動作。只是讓人感到疑惑不解的是，拔下來的東西若不是物歸原主，當為畢生紀念之物，就得循正常程序將它們丟棄銷毀，由診治的醫師留存下來的目的究竟為何。何況，居然是藏諸牆壁之內，藏於牆壁之內也不會強化房子的堅固性，也沒有歷史價值，所以用意不明。

昏庸的君主或暴君想要焚燒書籍、殺害文人，古代有識之士趕緊將典籍集中起來，不是挖個坑洞就是乾脆放進牆壁之內，再敷以塗料，搜查者難以看出破綻，暫時躲避了一場文化的浩劫。待改朝換代重見天日的時候，藏匿起來的典籍顯得格外珍貴，讓人查證史實，造福後世。牙齒不同於書冊，雖然它們也承載個人的生命訊息，實在無須大費周章，弄得神神秘秘，啟人疑竇。懂得牙齒結構的人就知道，一般牙齒的硬度很高，健康的牙經得起嚼土豆、啃甘蔗，都不會傷害到外層的組織，不過怕酸性物質，久而久之將從琺瑯質蝕化而入，形成齲齒，甜的東西也會轉變成酸性物質，不只是糖果、含糖飲料，像是卡在齒縫間的菜或肉類的餘垢，如果沒有即時清除的話，過了一段時間就會蛀壞原來的自然齒，深入根管，令人疼痛。

重大的空難或是車禍現場，面對完全支離破碎、殘缺不全的大體，根本無法辨識出誰是誰的時候，除了與家屬配合共同檢驗 DNA 外，檢查死者的牙齒排列形狀或特徵應能尋出幾許蛛絲馬跡，再加上運氣好的話，便能知道眼前的真實身分，也因牙齒的抗壓和抗高溫的能力甚強，才能幫已故的人發出另種聲音，知悉身前大概發生了什麼樣的事件，處理命案現場的無名屍首也是一樣。通常我們由某醫師初次看牙，他會巡看全口每顆牙齒的狀況，再行指示牙科助理一一登記下來，這樣的口腔紀錄形同於對我們身體特徵的記載，通常兩人完全相同的機率並不高。

把患者的牙齒拔除之後，放入牆壁之內，二位醫師的動機費人猜疑，或許只是生活上的癖好，僅止於好玩，也可能是留下一項紀錄，後人挖出之後，當作紀念品，一種百年壞不掉，續以憑弔的紀念品。

國道掉物

平時在街衢巷弄的路上看見遺落的物品，儘管種類五花八門，用路人大概對於這些無奇不有的東西早已司空見慣；可能小則口罩，略大為手帕毛巾、手套，再大一些為被風吹至路中央的垃圾袋，均應很快被看不過去的人撿拾而去，免得妨礙通行。以往聽聞有人故意將小物丟置於馬路上，目的將自身的晦氣傳給撿到這件東西的人，鑒於如此不良的習尚，有識之士大多不願撿取別人遺留路上恐讓自己倒楣的物品，路不拾遺儼然形成一股風氣。

但在各方來車其車速都甚快的高速公路之上，有人下車查看，不甚被撞倒之後，經過數十輛車的輾壓，頓時成為一灘肉泥，生死就在一瞬間。同樣的，前方的車子所掉落的物體，對於後方車輛的前行，在安全方面也構成極大的威脅。據統計，平均一年的掉落物已釀成國道九百多起的交通事故，大部分造成車輛的受損，嚴重的話造成人員的傷亡。因為看見忽然掉下來的物品，後方的駕駛員已經來不及做出反應，於是抨然撞上，就像對向飛來的輪胎，同樣猝不及防，車毀人傷時有所聞。沒人希望自己成為撞上掉落物的倒楣駕駛和乘客，當然掉落東西的肇事主也並非蓄意，所以交警呼籲大家要上交流道之前記得綁緊貨物，隸屬交警的紅斑馬發現肇事車輛也會即刻去追，最新的罰則是以單一車道在半小時內可清理為單位，從三千元到一萬二千元，影響到雙車道的話，最高可罰到二萬四千元。

罰款金額無論設定多高，依然有粗心的載貨者，走到了被重罰的地步。根據統計，最常見到掉落的是汽車的輪胎皮，其次分別是金屬、塑膠、木頭類物品。大型的掉落物的物件有些還匪夷所思，除了砍伐下來不久的大型木塊、冰箱還有鋼琴，意即車輛不管搭載人類使用的任何家庭用品，都有掉落下來的可能，而這些大都是車主事先沒料到高速震盪下物品的掙脫所致。動物的屍體也不在少數，像是牛羊雞犬，有些裝上車子的時候還是活蹦亂跳，掉到路面來頃刻之間遭致後方來車撞擊而殞命，活生生地變成國道畜屍，有的則是企圖橫向奔行穿越路面，而被撞倒斃命的野生動物如山羌、麋鹿和鼯鼠一款的，同樣使得駕駛人見之嚇出一身冷汗。

路上的「物」也會轉變成「人」，三十多年前，王冠雄、湯蘭花主演的《大紐約華埠風雲》，可想而知幾番拳腳功夫上場是免不了的，當中尚有一幕如今看來還很驚世駭俗，就是當女主角被綁架，眾人四處尋找之際，最後發現她被嘴貼封帶、五花大綁，夜幕低垂時遭棄置於一處隧道內的快速車道上，無法自行脫困的情況之下，差點就被橫衝直撞的左右來車輾得血肉模糊，綁票她的黑幫份子也許正想著利用車輛快速的輾壓形成撕票，才能一了百了。幸好最後人質獲得拯救，重享光明。臺灣的國道上甚且出現遺落的棺材，裏邊自然是空無一人的光景，否則顯得更加壯烈和怪異。

何以滅親

李安執導的《綠巨人浩克》，三位編劇根據原創擘劃出的這位青年平時看似與常人無異，不過在極度的憤怒狀態時，身體膚色轉為綠色而且快速膨脹，與平時大為迥異，模樣令人驚駭。浩克幼齡目睹家暴，母親因此身故；到最後浩克還跟他的父親出現對決，決戰之前他的父親對他說：「看來我應該先消滅了你，喔不，你應該先消滅我才對」；為了追殺浩克的女友，其父派出的三隻可怕的生化變種畸形狗，都被浩克一一翦除。

父子決鬥的結果，戲劇的正常發展下，存活的就剩浩克；可是他也難逃軍隊伽瑪彈的攻擊，遁逃他國，掩匿行跡。他能承受強大的放射線照射而不死，得以歸功他的父親，他既為父親所創造，但也沒有拯救世界的壯舉，反而看到的是他行過之處對於各地建設的破壞，所以影片雖然至為賣座，依舊被譏評為失敗的形象。

古來弒親大抵為了爭奪帝位，至高的權力產生強烈的誘惑，讓人不顧血肉親情殺紅了眼。有時至親不是由自家的晚輩所殺害，而主謀者意圖想借力使力，沒想到結果反而造成自身家國的傷害，像平劇的情節中論及宋朝之時，陸文龍與岳武穆麾下的大將們展開一場激鬥，在河南朱仙鎮開打的所謂「陸文龍大戰群雄」，陸文龍的功夫實在了得，屢次讓岳家軍團佔不到便宜，宋軍只得灰溜溜的退場。直待王佐使出苦肉計進入金軍帳中，藉由說書之便對陸文龍曉以大義，陸才明白自己是漢家兒身，共同投入抗金事業。

《說岳全傳》提到陸文龍為潞安州節度使陸登之子，金人來犯，陸登與妻盡忠守節自刎而亡，陸文龍成為無可依憑的孤兒；金兀朮發覺陸文龍頗有沙場天分，便收為義子，陸對自己出身毫不知情，始終幫著殺父兇嫌在打天下，因為金兵如果未曾來犯，父母豈會同時殉國。陸文龍認祖歸宗回到漢營，改變了家國的命運，形同完成復仇；國內幾座宮廟於其大殿的牆壁上就繪製「八錘大戰陸文龍」的戰況圖，雖是模擬想像的情景，其中傳揚後世的道理不言可喻。

同樣發生在河南省的近世案件，就不是章回的內容，而是叫人唏嘘的真實故事；2001 年有人從外地來到商城縣拜訪一對陳姓夫妻老友，談話之際看著在旁戲耍的陳姓小弟實在太可愛了，居然萌生歹念，順手抄起刀械把這對夫妻加以殺害，再將當時未滿兩歲的小朋友帶走，小弟弟的父親從此換了人來當。

縱然查緝線索有限，終究紙包不住火，警方透過尋人的 DNA 偵破這件多年的懸案，讓殺人兇嫌東窗事發落入法網，當時的可愛小孩如今成為一名身材魁武的青年，目睹喊了將近十八年的爸爸竟然是殺害真正父親和母親的罪犯，而遭到逮捕，真是情何以堪。

看到別人家的小朋友過於可愛，便萌生殺意，動機未免過於魯莽；這位青年總算知曉殺害他父母的兇手，不過他也無仇可復，只能靜待司法處置。報章時常可見叛逆的青少年，一時的氣憤，出手傷害至親，造成其父或其母甚至雙親同時殞命的案件，我國刑法第 272 條明白的道出，對於殺害直系血親和殺害他人的罪責是不同的，可是悲劇依然時有所聞，雖然上開的數例不管是否真實或是小說家言，殺機都非金錢的因素所造成。不過三不五時，類似「無業男遭碎念，持菜刀砍傷老父」的斗大報頭標題，常出現在讀者的眼簾。

無所不食

雨天帶著幾個小朋友到三官大帝廟前廣場玩球的吳姓男子，原本的皮球有些點兒破損，索性把雨水裝入球中，把水球當成躲避球互相投擲，大夥兒也玩得開心，偶有幾道閃電從天際掠過，廟裏的幾尊神像凝神注視著他們的遊戲，一如往常地不會發出什麼意見；於是丟擲的活動繼續進行。

皮球落在一根毀壞鏽損的電線桿旁，吳姓男子前往撿拾的當下，他應未料及，接下來的動作足以影響到往後幾十年的歲月。觸及損毀漏電的管線讓他頓時失去知覺，併隨的深度灼傷使他不得不住院數周。待他走向痊癒之路上產生一些怪事，當他飢餓的時候，難以分清眼前的哪一類的物品是可食，哪一種的非可食，以致照單全收，就算是石頭、樹上掉落的枝葉、衛生紙都往嘴裏塞，還出現把整枝蠟筆或是整塊橡皮擦吃掉的情況；不得不需有人陪伴盯著他，以防不測發生。

強大電流通過身體的結果使他的飲食偏好出現改變，但並非「能吃就是福」，萬一吃進不該吃的，後果難料；身心無恙的人平素都有誤食他物的可能，頭腦不清楚的下次會吃進什麼，卻令人擔憂。終身的缺氧性腦病變，法院說鄉公所沒把路燈搞好，要國賠一千七百多萬給吳男。

古時有人要遠行，又怕家中稚齡的幼童挨餓，於是製作偌大的餅圈套在頸上，肚子餓的時候順口移動便能吃到，原創者自認是巧妙的設計，沒想到還有意外發生。現在北韓的「衣著研究中心」，為給海上航行者和登山客飲食上的便利，經過長期的研發，近期曝光的新潮服飾中，有種可以讓人食用的夾克，布料為人造棉織法蘭絨，內含蛋白質、胺基酸、水果製品和微量人體所需金屬。這件經過北韓最高領導階層認證的衣服，在糧食短缺的時刻，或是特種部隊因應長期作戰潛伏時的方便，擁有這款新奇的服飾，短兵相接、戰況膠著之時，無疑地增添了幾許保命的契機。

想要活下去，每天都需要進食；人要穿衣，出門才較得體。兩者合而為一的作法，看來像是巧妙的搭配。紡織品的進步，以往見到防範刀槍的衣服，這類的衣服當然不含可食的元素。什麼東西都想吃的話，如果經濟許可，不妨購置一套可供食用的衣物，先把衣服吃完，也許比較安全。不過話說回來，既為人類可食之物，不知其他的蟲子聞到氣味之後，是否想爭先想要品嚐一下？